Georg Schwaiger

Päpstlicher Primat und Autorität der Allgemeinen Konzilien im Spiegel der Geschichte

GEORG SCHWAIGER

Päpstlicher Primat und Autorität der Allgemeinen Konzilien im Spiegel der Geschichte

1977

VERLAG FERDINAND SCHÖNINGH

MÜNCHEN · PADERBORN · WIEN

ISBN 3-506-74786-X

Vorwort

Das Zweite Vatikanische Konzil hat in der Frage nach der Struktur der Kirche eine neue Phase theologischer Besinnung eingeleitet. Das Verhältnis zwischen päpstlichem Primat, Bischofskollegium, Ökumenischem Konzil, die Frage nach der höchsten potestas und auctoritas, betrifft die Struktur der Kirche an einem entscheidenden Punkt. Dies erweist die Geschichte der Kirche von den frühen Jahrhunderten an bis in unsere Tage in immer neuen, auch recht unterschiedlichen Bemühungen. Diese schwierigen Fragen waren in fast allen Jahrhunderten auch wesentlich ausgerichtet auf die zentrale Frage nach der Erhaltung oder Wiedergewinnung der Einheit in der Kirche.

Das Anliegen vorliegender Arbeit ist es, das Erscheinungsbild von päpstlichem Primat und Autorität der Allgemeinen Konzilien im Spiegel der Geschichte aufzuzeigen, und zwar vornehmlich der Konziliengeschichte, wobei ich mir der Problematik der Geltung und Anerkennung „ökumenischer" Konzilien in der Kirchengeschichte durchaus bewußt bin. Dies ist gewiß nur ein Teil in der geschichtlichen Erscheinung dieses Komplexes, allerdings ein recht wesentlicher. Eine auch nur einigermaßen befriedigende Geschichte des päpstlichen Primates ist bis heute nicht geschrieben und von einem einzelnen kaum mehr zu leisten. Allein die Untersuchung der mittelalterlichen Theologie und Kanonistik der lateinischen Kirche würde jeweils die Grenzen eines Lebenswerkes wohl überschreiten. So mag der vorliegende knappe Abriß manchem von Nutzen sein. Er ist herausgewachsen aus dem Beitrag „Suprema Potestas. Päpstlicher Primat und Autorität der Allgemeinen Konzilien im Spiegel der Geschichte", den ich in der Festschrift „Konzil und Papst. Historische Beiträge zur Frage der höchsten Gewalt in der Kirche" (Festgabe für Hermann Tüchle, herausgegeben von Georg Schwaiger, Verlag Ferdinand Schöningh, München-Paderborn-Wien 1975, S. 611–678) veröffentlicht habe. Es versteht sich, daß ein Überblick über zweitausend Jahre Kirchengeschichte zahlreiche Arbeiten anderer voraussetzt. Besonders fühle ich mich verpflichtet dem Werk Erich Caspars, der bis heute umfassendsten Untersuchung des Papsttums in der alten Kirche, den Studien Wilhelm de Vries' S. J. zur Struktur der Kirche im Erscheinungsbild der alten Konzilien und den sorgfältigen Arbeiten Karl August Finks. Die Nachweise an Quellen und Literatur mußten auf das Notwendigste beschränkt bleiben, sollen aber an jeder Stelle dem interessierten Leser eine eingehendere Beschäftigung ermöglichen.

Für das entgegenkommende Verständnis danke ich dem Verlag Ferdinand Schöningh, für die Mithilfe beim Lesen der Korrektur Herrn Universitätsdozenten Dr. Manfred Weitlauff.

München

Georg Schwaiger

Inhalt

Verzeichnis der Abkürzungen

ACO	Acta Conciliorum Oecumenicorum, ed. E. Schwartz, Berlin 1914 ff.
Caspar	E. Caspar, Geschichte des Papsttums, 2 Bde., Tübingen 1930–1933.
COD	Conciliorum Oecumenicorum Decreta, edd. J. Alberigo, J. A. Dossetti, P.-P. Joannou, C. Leonardi, P. Prodi, consultante H. Jedin, Bologna ^{3}1973.
CSEL	Corpus scriptorum ecclesiasticorum latinorum, Wien 1866 ff.
Das Konzil und die Konzile	B. Botte, H. Marot u. a., Das Konzil und die Konzile. Ein Beitrag zur Geschichte des Konzilslebens der Kirche, Stuttgart 1962 (deutsche Übersetzung von: Le Concile et les Conciles, Chevetogne-Paris 1960).
Dölger, Regesten	F. Dölger, Regesten der Kaiserurkunden des oströmischen Reiches. 3 Teile (565–1282), München 1924–1932.
Grumel, Reg.	V. Grumel, Les Regestes des actes du patriarcat de Constantinople, I, 1–3, Kadiköi-Bukarest 1932–1947.
Haller	J. Haller, Das Papsttum. Idee und Wirklichkeit, 5 Bde., Urach u. Stuttgart ^{2}1950–1955.
Handbuch der Kirchengeschichte	Handbuch der Kirchengeschichte, hrsg. v. H. Jedin, Freiburg-Basel-Wien 1962 ff.
Hefele-Leclercq	Ch. J. Hefele – H. Leclercq, Histoire des conciles, Bd. 1–9, Paris 1907–1921, Fortsetzung (für das Konzil von Trient) v. P. Richard 1930–1931.
Jaffé	Ph. Jaffé, Regesta Pontificum Romanorum, Leipzig ^{2}1881–1888, in 2 Bdn., besorgt v. S. Löwenfeld, F. Kaltenbrunner, P. Ewald. Photomechan. Nachdruck Graz 1956.

Konzil und Papst	Konzil und Papst. Historische Beiträge zur Frage der höchsten Gewalt in der Kirche. Festgabe für Hermann Tüchle, hrsg. v. G. Schwaiger, München-Paderborn-Wien 1975.
Liber Pontificalis	Le Liber Pontificalis, ed. L. Duchesne, 2 Bde. Paris 1886–1892 (Nachdruck Paris 1955), Bd. 3, ed. C. Vogel, Paris 1958.
LThK	Lexikon für Theologie und Kirche, 10 Bde., Freiburg i. Br. ²1957–1965.
Mansi	J. D. Mansi, Sacrorum conciliorum nova et amplissima collectio, 31 Bde., Florenz-Venedig 1757–1798; Neudruck u. Fortsetzung, hrsg. v. L. Petit u. J. B. Martin, 60 Bde., Paris 1899 bis 1927.
MGConc	Monumenta Germaniae Historica, Concilia.
MGEp	Monumenta Germaniae Historica, Epistolae.
Migne PG	J. P. Migne, Patrologia Graeca, 161 Bde., Paris 1857–1866.
Migne PL	J. P. Migne, Patrologia Latina, 217 Bde. u. 4 Registerbände, Paris 1878–1890.
Mirbt-Aland	C. Mirbt, Quellen zur Geschichte des Papsttums und des römischen Katholizismus. 6. Aufl. hrsg. v. K. Aland, I, Tübingen 1967.
Seppelt	F. X. Seppelt, Geschichte der Päpste, 5 Bde. (I^2, II^2, III; IV^2 u. V^2 neu bearbeitet v. G. Schwaiger), München 1954–1959.

Zur Einführung

Papst und Konzil im geltenden Kirchenrecht

Unter den zahlreichen Fragen, die das Zweite Vatikanische Konzil aufgegriffen hat, ist das Verhältnis zwischen Papst und Bischofskollegium eine der bedeutsamsten. Sie betrifft die Struktur der sichtbaren Kirche an einem entscheidenden Punkt. Das Konzil konnte diese Frage nicht lösen, ebensowenig die außerordentliche Bischofssynode in Rom 1969, auf der es wesentlich um dieses Problem ging. Das Thema „Päpstlicher Primat und Autorität der Allgemeinen Konzilien"[1] hängt aufs engste mit dieser Frage zusammen; denn das Allgemeine Konzil, wenn auch nur in Abständen sich versammelnd, ist unbestritten die vollkommenste und vornehmste Repräsentation der Kirche, und hier sind wieder die „vom Heiligen Geist gesetzten" Bischöfe (Apg 20, 28) als Nachfolger der

[1] In dem folgenden knappen Abriß bleiben die Nachweise auf das Notwendigste beschränkt. – An Quellenwerken und allgemeiner Literatur sei lediglich genannt: J. D. Mansi, Sacrorum conciliorum nova et amplissima collectio, 31 Bde., Florenz-Venedig 1757–1798; Neudruck u. Fortsetzung, hrsg. v. L. Petit u. J. B. Martin, 60 Bde., Paris 1899–1927. – Die Dekrete der Allgemeinen Konzilien sind am bequemsten zugänglich in: Conciliorum Oecumenicorum Decreta, hrsg. v. J. Alberigo, J. A. Dossetti, P.-P. Joannou, C. Leonardi, P. Prodi (consultante H. Jedin), Bologna ³1973. – C. J. Hefele, Conciliengeschichte, 9 Bde. (Bd. 8 u. 9 v. J. Hergenröther), Freiburg i. Br. 1855–1890, Bd. 1–6 ²1873–1890. Französische Ausgabe: Ch. J. Hefele – H. Lerclercq, Histoire des conciles, Bd. 1–9, Paris 1907–1921, Fortsetzung (für das Konzil von Trient) v. P. Richard 1930 bis 1931. – H. J. Margull (Hrsg.), Die ökumenischen Konzile der Christenheit, Stuttgart 1961. – A. Favale, I concili ecumenici nella storia della chiesa, Torino 1962. – H. Fuhrmann, Das ökumenische Konzil und seine historischen Grundlagen, in: Geschichte in Wissenschaft und Unterricht 12 (1962) 672–695. – B. Botte, H. Marot u. a., Le Concile et les Conciles, Chevetogne-Paris 1960, deutsch: Das Konzil und die Konzile. Ein Beitrag zur Geschichte des Konzilslebens der Kirche, Stuttgart 1962. – Handbuch der Kirchengeschichte, hrsg. v. H. Jedin, Freiburg i. Br. – Basel – Wien 1962 ff. – Geschichte der ökumenischen Konzilien, hrsg. v. G. Dumeige u. H. Bacht, 12 Bde., Mainz 1963 ff. – K. Bihlmeyer – H. Tüchle, Kirchengeschichte, 3 Bde., Paderborn ¹⁸1967–1969. – H. Jedin, Kleine Konziliengeschichte, Freiburg i. Br. ⁸1969. – Konzil und Papst. Historische Beiträge zur Frage der höchsten Gewalt in der Kirche. Festgabe für Hermann Tüchle. Hrsg. v. G. Schwaiger, München – Paderborn – Wien 1975.

Apostel die berufenen vornehmsten Repräsentanten, zusammen mit ihrem Ersten, dem Nachfolger des Apostels Petrus im römischen Bischofsamt und in dem damit verbundenen Primat.

Über das Verhältnis des Papstes zum Bischofskollegium schrieb Johann Adam Möhler in seiner „Symbolik" 1832[2]: „... Der Episkopat [die Fortsetzung des Apostolates] wird hiernach als eine göttliche Institution verehrt; desgleichen nun auch, und eben deshalb, der Einheitspunkt und das Haupt des Episkopates, der Papst. Soll der Episkopat eine in sich geschlossene, wie innerlich, so auch äußerlich verbundene Einheit bilden, um alle Gläubigen zu einem wahren Gesamtleben, welches die katholische Kirche so dringend fordert, zu vereinigen, so bedarf er selbst einer Mitte, durch deren Dasein alle zusammengehalten und fest verknüpft werden ... Mit einer sichtbaren Kirche ist ein sichtbares Haupt notwendig gegeben ... Zu seinen wesentlichen kirchlichen Rechten, deren Umfang bei den Kanonisten nachzuschlagen ist, erwarb sich der Papst je nach den verschiedenen Kulturstufen ganzer Zeitalter und einzelner Völker sogenannte außerwesentliche, mancherlei Verwandlungen zulassende Rechte, so daß seine Gewalt bald größer, bald kleiner erscheint. Übrigens sind bekanntlich, teils durch den Umschwung der Zeiten und kirchliche Übelstände veranlaßt, teils durch den inneren, in Gegensätzen fortschreitenden Entwicklungsgang der Begriffe von selbst hervorgerufen, über das Verhältnis zwischen dem Papst und den Bischöfen zwei Systeme herrschend geworden, das Episkopal- und Papalsystem, von welchem dieses, ohne die göttliche Institution der Bischöfe zu verkennen, die Kraft der Mitte besonders hervorhob, jenes aber, ohne die göttliche Einsetzung des Primates zu leugnen, die Kraft vorzüglich nach der Peripherie zu lenken suchte. Indem hiernach ein jedes das Wesen des anderen als göttlich anerkannte, bildeten sie für das kirchliche Leben sehr wohltätige Gegensätze, so daß durch ihre Gegeneinanderbewegung sowohl die eigentümliche, freie Entwicklung der Teile bewahrt, als auch die Verbindung derselben zu einem unteilbaren und lebendigen Ganzen festgehalten wurde."

Die von Möhler angesprochenen „für das kirchliche Leben sehr wohltätigen Gegensätze" wurden kaum vier Jahrzehnte später zugunsten des Papalsystems einseitig gelöst, ohne daß man gleich-

[2] Symbolik I. Hrsg. v. J. R. Geiselmann, Darmstadt 1958, 451–454.

zeitig die Stellung der Bischöfe gebührend umschrieben hätte. Am 18. Juli 1870 wurde auf dem Ersten Vatikanischen Konzil[3] die dogmatische Konstitution „Pastor Aeternus"[4] verabschiedet und sofort vom anwesenden Papst bestätigt. Darin wurden der Umfang des päpstlichen Primates und die lehramtliche Unfehlbarkeit des Papstes definiert. Die entscheidenden Stellen lauten: „Wir erneuern demnach die Entscheidung des Allgemeinen Konzils von Florenz, nach welcher alle Christgläubigen glauben müssen, daß der Heilige Apostolische Stuhl und der Papst zu Rom den Vorrang innehaben über den ganzen Erdkreis und daß eben der römische Papst Nachfolger des heiligen Apostelfürsten Petrus, der wahre Stellvertreter Christi und als das Haupt der ganzen Kirche auch der Vater und Lehrer aller Christen sei; und daß demselben im heiligen Petrus die volle Gewalt, die ganze Kirche zu weiden, zu regieren und zu verwalten, von unserem Herrn Jesus Christus übertragen sei, so wie es auch in den Akten der Allgemeinen Konzilien und in den heiligen Canones enthalten ist"[5]. Die päpstliche Primatialgewalt wird umschrieben als ordentliche, unmittelbare bischöfliche Gewalt über die ganze Kirche und alle Einzelkirchen[6]; sie hebt aber die ordentliche

[3] C. Butler – H. Lang, Das Vatikanische Konzil, München ²1961. – R. Aubert, Vatican I, Paris 1964, deutsch: Vaticanum I, Mainz 1965; ders., in: Handbuch der Kirchengeschichte VI/1, Freiburg i. Br. 1971, 774–791. – R. Aubert, U. Betti, M. Maccarrone u a., De doctrina Concilii Vaticani Primi. Studia selecta annis 1948–1964 scripta denuo edita, ..., Rom 1969. – Hundert Jahre nach dem Ersten Vaticanum, hrsg. v. Georg Schwaiger, Regensburg 1970. – G. Adriányi, Ungarn und das I. Vaticanum, Köln-Wien 1975. – K. Schatz, Kirchenbild und päpstliche Unfehlbarkeit bei den deutschsprachigen Minoritätsbischöfen auf dem I. Vatikanum, Rom 1975.

[4] COD 811–816.

[5] „... innovamus oecumenici concilii Florentini definitionem, qua credendum ab omnibus Christi fidelibus est, sanctam apostolicam sedem et Romanum pontificem in universum orbem tenere primatum, et ipsum pontificem Romanum successorem esse beati Petri principis apostolorum, et verum Christi vicarium, totiusque ecclesiae caput, et omnium christianorum patrem ac doctorem existere; et ipsi in beato Petro pascendi, regendi ac gubernandi universalem ecclesiam a domino nostro Iesu Christo plenam potestatem traditam esse; quemadmodum etiam in gestis oecumenicorum conciliorum et in sacris canonibus continetur." COD 813.

[6] „Docemus proinde et declaramus, ecclesiam Romanam, disponente Domino, super omnes alias ordinariae potestatis obtinere principatum, et hanc Romani pontificis iurisdictionis potestatem, quae vere episcopalis est, immediatam esse: erga quam cuiuscumque ritus et dignitatis pastores atque fideles, tam seorsum singuli quam simul omnes, officio hierarchicae subordinationis, veraeque obedientiae obstringuntur, non solum in rebus, quae ad fidem et mores, sed etiam in iis,

und unmittelbare Gewalt der Bischöfe in ihren Diözesen nicht auf. Den Bemühungen des Kardinals Rauscher von Wien und des Bischofs Freppel von Angers war es zu danken, daß das Nebeneinander der beiden ordentlichen Gewalten verständlicher gemacht werden sollte: „Es ist aber weit davon entfernt, daß diese Gewalt des Obersten Hohenpriesters Eintrag tue der ordentlichen und unmittelbaren Gewalt der bischöflichen Jurisdiktion, gemäß welcher die Bischöfe, die, vom Heiligen Geist eingesetzt (Apg 20,28), an die Stelle der Apostel nachgefolgt sind, als wirkliche Hirten die ihnen zugewiesenen Herden, jeder die seine, weiden und leiten; vielmehr wird dieselbe von dem obersten und allgemeinen Hirten geschützt, gefestigt und verteidigt ..."[7]. Bezüglich der päpstlichen Unfehlbarkeit wird als geoffenbarte Glaubenslehre definiert: „Daß der römische Papst, wenn er ex cathedra spricht, das heißt, wenn er seines Amtes als Hirt und Lehrer aller Christen waltet und kraft seiner höchsten Apostolischen Amtsgewalt endgültig entscheidet, eine Lehre über Glauben oder Sitten sei von der ganzen Kirche festzuhalten, er auf Grund des göttlichen Beistandes, der ihm im heiligen Petrus verheißen ist, sich jener Unfehlbarkeit erfreut, mit welcher der göttliche Erlöser seine Kirche bei der endgültigen Bestimmung über eine Lehre in Sachen des Glaubens oder der Sitten ausgerüstet haben wollte; und daß deshalb solche endgültigen Entscheidungen des römischen Papstes durch sich selber, nicht aber durch die Zustimmung der Kirche unabänderlich sind"[8].

---

quae ad disciplinam et regimen ecclesiae per totum orbem diffusae pertinent; ita ut custodita cum Romano pontifice tam communionis, quam eiusdem fidei professionis unitate, ecclesia Christi sit unus grex sub uno summo pastore. Haec est catholicae veritatis doctrina, a qua deviare, salva fide atque salute, nemo potest." COD 813 s.

[7] „Tantum autem abest, ut haec summi pontificis potestas officiat ordinariae ac immediatae illi episcopalis iurisdictionis potestati, qua episcopi, qui positi a Spiritu sancto in apostolorum locum successerunt, tamquam veri pastores assignatos sibi greges, singuli singulos, pascunt et regunt, ut eadem a supremo et universali pastore asseratur, roboretur ac vindicetur ...". COD 814.

[8] „... sacro approbante concilio, docemus et divinitus revelatum dogma esse definimus: Romanum pontificem, cum ex cathedra loquitur, id est, cum omnium christianorum pastoris et doctoris munere fungens, pro suprema sua apostolica auctoritate doctrinam de fide vel moribus ab universa ecclesia tenendam definit, per assistentiam divinam, ipsi in beato Petro promissam, ea infallibilitate pollere, qua divinus Redemptor ecclesiam suam in definienda doctrina de fide vel moribus instructam esse voluit; ideoque eiusmodi Romani pontificis definitiones ex sese, non autem ex consensu ecclesiae irreformabiles esse." COD 816.

In dem ursprünglichen Konzilsschema sollte die Lehre von der Kirche als Ganzes definiert werden. Man wird zurückschauend froh sein, daß es dazu durch den Abbruch des Konzils nicht gekommen ist. Die Interpretation der schwierigen Texte und die weitere Klärung des Verhältnisses von Papst und Bischöfen blieben als theologische Aufgaben. Einen nicht unwesentlichen frühen Beitrag zu dieser theologischen Klarstellung bildete die Erklärung des deutschen Episkopates vom Februar 1875[9]. Sie richtete sich gegen die 1874 veröffentlichte Zirkulardepesche Bismarcks vom Mai 1872. Darin behauptete der Reichskanzler, seit dem Vatikanischen Konzil seien die Bischöfe aller Länder nur mehr Beamte des Papstes. Die Erklärung der deutschen Bischöfe enthält eine gründliche Analyse des Konzilsdekretes und betont darin die durch die Apostolische Sukzession begründete unmittelbare Autorität jedes Bischofs in seinem Bistum. Pius IX. billigte diese Erklärung ausdrücklich durch Breve vom 12. März 1875[10]. Bis dahin hatte der Papst freilich von sich aus nichts unternommen, um dem neuen Dogma eine maßvoll klärende Interpretation zu geben, was sicherlich in manchen Kontroversen der Zeit mildernd gewirkt hätte.

Möhler hatte in seiner „Symbolik" empfohlen, über den Umfang der wesentlichen kirchlichen Rechte des Papstes bei den Kanonisten nachzuschlagen. Im Auftrag Pius' X. wurde 1904 die Neukodifikation des Kirchenrechtes eingeleitet. Der neue Codex Iuris Canonici wurde am 27. Mai 1917 amtlich veröffentlicht und trat am 19. Mai 1918 in Kraft. Erhebliche formale Mängel dieses Werkes sind vornehmlich auf die rasche Publizierung zurückzuführen. Das Werk war zu wenig ausgereift, zu wenig in sich abgestimmt[11]. Man hatte es in Rom offenbar sehr eilig, den Codex mitten in der ungeheueren Verwirrung des Ersten Weltkrieges herauszubringen, als die Verbindung bedeutender Teilkirchen mit dem Stuhl Petri unmöglich war oder doch aufs schwerste behindert erscheinen mußte. Im Jahr

---

[9] N. Siegfried [V. Cathrein], Aktenstücke betreffend den preußischen Culturkampf, Freiburg 1882, 264–269.

[10] Ebda. 270 f. Vgl. W. Kasper, Primat und Episkopat nach dem Vatikanum I, in: Theol. Quartalschrift 142 (1962) 48 f.; R. Lill, Die ersten deutschen Bischofskonferenzen, Freiburg-Basel-Wien 1964, 121 f.

[11] K. Mörsdorf, Die Rechtssprache des CIC, Paderborn 1937; ders., Lehrbuch des Kirchenrechts auf Grund des Codex Iuris Canonici. Begründet v. E. Eichmann, I[11], München-Paderborn-Wien 1964, 29 f., 80–83.

1917 konnte es nüchternen Beobachtern keine Frage mehr sein, daß die sichtlich erschöpften Mittelmächte den militärischen Sieg nicht würden erringen können. Die Bischöfe des Deutschen Reiches und Österreich-Ungarns besaßen aber – dank der besonderen Verbindung von Kirche und Staat in diesen Ländern – immer noch beträchtliche Eigenständigkeit, und fast nur in diesen Ländern gab es noch gut ausgestattete katholisch-theologische Fakultäten an staatlichen Universitäten. Der neue Codex brachte ein päpstlich dekretiertes Kirchenrecht konsequent römisch-zentralistischer Ausrichtung[12].

Um die Struktur der katholischen Kirche des 20. Jahrhunderts zu verstehen, ist nichts so aufschlußreich wie die aufmerksame Lektüre des Codex Iuris Canonici. Die wichtigsten, die gegenwärtige Struktur der katholischen Kirche durch positives Recht entscheidend bestimmenden Aussagen sind enthalten in wenigen Canones der Tituli VII (cc. 218–328) und VIII (cc. 329–486) im 2. Buch des Codex. Die anderen, über den ganzen Codex verstreuten Bestimmungen einer möglichen päpstlich-kurialen Einflußnahme schier auf alles und jedes sind nur Ausfluß dieser Canones, analog dem alten scholastischen Satz: Accessorium sequitur principale.

Den rechtlichen Aussagen über die höchste Gewalt in der Kirche ist Titulus VII gewidmet: „De suprema potestate deque iis qui eiusdem sunt ecclesiastico iure participes". Auf der dogmatischen Grundlage des Ersten Vatikanums handelt hier caput I „De Romano Pontifice" (cc. 218–221)[13]. C. 218 umschreibt die päpstliche Vollgewalt: „§ 1. Romanus Pontifex, Beati Petri in primatu Successor, habet non solum primatum honoris, sed supremam et plenam potestatem iurisdictionis in universam Ecclesiam tum in rebus quae ad fidem et mores, tum in iis quae ad disciplinam et regimen Ecclesiae per totum orbem diffusae pertinent. – § 2. Haec potestas est vere episcopalis, ordinaria et immediata tum in omnes et singulas ecclesias, tum in omnes et singulos pastores et fideles, a quavis humana auctoritate independens." Darin ist dem Papst als Nachfolger des Apostels Petrus im obersten Hirtenamt der Kirche nicht nur der Ehrenvorrang vor allen Bischöfen zuerkannt, sondern die höchste Leitungsgewalt über die ganze Kirche. Die päpstliche Prima-

[12] U. Stutz, Der Geist des Codex iuris canonici, Stuttgart 1918, 155 f.
[13] Dazu Mörsdorf I 343–351.

tialgewalt beruht auf göttlicher Anordnung (c. 108 § 3; c. 219). Die oberste Hirtengewalt des Papstes nach c. 218 ist: 1. Höchstgewalt (potestas suprema), d. h. sie ist die höchste Gewalt in der Kirche und unabhängig von jeder menschlichen Gewalt; 2. Vollgewalt (potestas plena), d. h. der Papst besitzt die kirchliche Höchstgewalt in ihrer Fülle. In der kanonistischen Ausdeutung heißt dies: „Er teilt sie nicht mit dem Kardinalskollegium und nicht mit den Bischöfen, weder mit dem einzelnen Bischof noch mit den Bischöfen in ihrer Gesamtheit, abgesehen von dem Allgemeinen Konzil, dem höchste Vollgewalt zukommt, weil und insofern der Papst sein Haupt ist“[14].

Wie sich der Codex das Verhältnis zwischen Papst und Konzil vorstellt, ist schon in der Anordnung der Kapitel unmißverständlich zum Ausdruck gebracht. Das Kapitel „De Concilio Oecumenico“ (cc. 222–229)[15] beseitigt die letzten Zweifel, daß das Allgemeine Konzil neuer Art ausschließlich als päpstlich-kuriale Veranstaltung gedacht ist: „C. 222. § 1. Dari nequit Oecumenicum Concilium quod a Romano Pontifice non fuerit convocatum. § 2. Eiusdem Romani Pontificis est Oecumenico Concilio per se vel per alios praeesse, res in eo tractandas ordinemque servandum constituere ac designare, Concilium ipsum transferre, suspendere, dissolvere, eiusque decreta confirmare.“ Nachdem die cc. 223 und 224 den Kreis der Teilnahmeberechtigten und gegebenenfalls die Entsendung von Prokuratoren festgelegt haben, folgen einige Einzelbestimmungen über die Durchführung und Geschäftsordnung, die aber lediglich Ausflüsse des entscheidenden c. 222 sind: „C. 225. Nemini eorum qui Concilio interesse debent, licet ante discedere, quam Concilium sit rite absolutum, nisi a Concilii praeside cognita ac probata discessionis causa et impetrata abeundi licentia. C. 226. Propositis a Romano Pontifice quaestionibus Patres possunt alias addere, a Concilii tamen praeside antea probatas.“ Damit ist das wichtige Propositionsrecht letztlich allein in die Hand des Papstes und seines Beauftragten gelegt. Konzilsdekrete besitzen nur dann definitive Verpflichtungskraft, wenn sie vom Papst bestätigt und auf seinen Befehl promulgiert sind (c. 227). Jetzt erst folgt der Satz, den man am Beginn dieses Kapitels erwartet hätte: „Concilium

[14] Ebda. 344.
[15] Vgl. Mörsdorf I 351–355.

Oecumenicum suprema pollet in universam Ecclesiam potestate" (c. 228. § 1). Von einer Entscheidung des Papstes gibt es keine Appellation an ein Allgemeines Konzil (c. 228. § 2). Bei dieser Rechtslage wird ein Allgemeines Konzil mit dem Tod eines Papstes ipso iure unterbrochen, bis ein neuer Pontifex Weisung gibt, die Versammlung wiederaufzunehmen und fortzuführen (c. 229). Was ist hier vom Selbstverständnis der Allgemeinen Konzilien des ersten Jahrtausends der Kirchengeschichte noch geblieben?

Ergänzend sei noch hingewiesen auf den wichtigen Titulus VIII, der die Rechtsstellung der „vom Heiligen Geist gesetzten" Bischöfe als Nachfolger der Apostel umschreibt: „De potestate episcopali deque iis qui de eadem participant" (cc. 329–486). Bevor ihre Rechte, Pflichten, Verbindlichkeiten dem Apostolischen Stuhl gegenüber festgelegt werden, legt der einleitende c. 329 § 1 dar: „Episcopi sunt Apostolorum successores atque ex divina institutione peculiaribus ecclesiis praeficiuntur quas cum potestate ordinaria regunt sub auctoritate Romani Pontificis." Im gleichen Canon folgt in § 2 einer der Schlüsselsätze zum Rechtsverständnis des Codex: „Eos libere nominat Romanus Pontifex". Der Papst ernennt alle Bischöfe der ganzen Kirche. Alles andere ist nur Indult, Gnade des Heiligen Stuhles, grundsätzlich jederzeit widerrufbar. Solches „Recht" hatte es bis 1917/18 nicht gegeben.

Heute werden in der katholischen Kirche gewöhnlich einundzwanzig „Ökumenische Konzilien" gezählt. Nach der Art ihres Zustandekommens, der Weise ihrer Durchführung, der Aufnahme ihrer Beschlüsse und schließlich in ihrer Bedeutung für die Kirche sind sie so verschieden, daß sie in historischer und theologischer Betrachtung nicht in einen Rahmen zu pressen sind. Doch zeichnen sich zusammengehörige Gruppen deutlich ab. Die Anerkennung gerade dieser Synoden ist vielfach problematisch. Dies hat seinen Grund darin, daß die Kriterien für ein Allgemeines Konzil in der Geschichte schwankend gewesen sind. Die Kriterien des positiven Kirchenrechtes der Gegenwart treffen für kein einziges der Ökumenischen Konzilien des ersten Jahrtausends zu und sind auch auf die Kirchenversammlungen des Mittelalters, die den Namen „allgemein" wirklich verdienen, nur unter erheblichen Einschränkungen anwendbar; dies gilt selbst noch für das Konzil von Trient. Erst das Vatikanische Konzil 1869/70 hat die zentralistische Einebnung in der katholischen Kirche zustandegebracht, wie man weiß, nicht ohne erheblichen Widerstand. Hätten die ehrwürdigen Väter der alten Kirchenversammlungen, die Patriarchen, Metropoliten und Bischöfe der alten Christenheit, hätten selbst die Päpste des ersten christlichen Jahrtausends, vor der Revolution der „Gregorianischen Reform“ des 11./12. Jahrhunderts, ihr Verständnis der Ökumenischen Konzilien in den genannten Sätzen des Codex Iuris Canonici wiedererkannt?

I. Die vornicaenischen Synoden

Als Urbild aller Konzilien galt früher das in der Apostelgeschichte (15, 1–35; vgl. Gal 2) genannte „Apostelkonzil" von Jerusalem um das Jahr 48. Papst Johannes XXIII. hat in der Vorbereitung des Zweiten Vatikanischen Konzils ausdrücklich darauf hingewiesen[1]. Nun kennen wir das Leben der apostolischen Kirche nur recht unvollkommen. Die neutestamentlichen Schriften ergeben nur ein fragmentarisches Bild. In der frühen Phase der Entwicklung fällt ohne Zweifel der eschatologische und charismatische Charakter auf. Das sogenannte Apostelkonzil wird man heute nicht mehr den eigentlichen Synoden, wohl aber ihrer Vorgeschichte zurechnen. In einer ernsten Krise der jüdischen Observanz einigten sich die Vertreter der bedeutendsten Kirchengemeinden, Jerusalem und Antiochien, auf einen Kompromiß – wohl die wichtigste Entscheidung der jungen Kirche im apostolischen Zeitalter. Dabei standen sich nach dem Bericht des Paulus (Gal 2, 1–10) die geltenden Autoritäten in Jerusalem und die antiochenische Delegation gleichberechtigt gegenüber[2]. Der Bericht der Apostelgeschichte hebt die Autorität des Petrus[3] stärker hervor. Die Versammlung ist sich des Beistandes des Heiligen Geistes bewußt. Sie fühlt sich berufen, die Einheit der Gemeinden in den aufgebrochenen erheblichen Meinungsverschieden-

---

[1] Acta Apostolicae Sedis 52 (1960) 180.

[2] J. A. Fischer, Das sogenannte Apostelkonzil, in: Konzil und Papst (Festschrift Tüchle) 1–17.

[3] Zur Rechtfertigung des Führungsanspruchs der römischen Bischöfe werden seit dem 4. Jahrhundert, vereinzelt schon im 3. Jahrhundert, die Worte Jesu an Simon Petrus in Mt 16, 17–19 herangezogen. Sie bildeten auf dem Vatikanum I die wichtigste biblische Grundlage der Primatialgewalt des Papstes. Vgl. J. Ludwig, Die Primatsworte Mt 16, 18.19 in der altkirchlichen Exegese, Münster 1952. – E. Dinkler, Die Petrus-Rom-Frage, in: Theologische Rundschau 25 (1959) 189–230; 27 (1961) 33–64. – P. Hoffmann, Der Petrus-Primat im Matthäusevangelium, in: J. Gnilka (Hrsg.), Neues Testament und Kirche. Festschrift für Rudolf Schnackenburg, Freiburg i. Br. 1974, 94–114. – C. Andresen, Die Legitimierung des römischen Primatsanspruchs in der Alten Kirche, in: Das Papsttum in der Diskussion, hrsg. v. G. Denzler, Regensburg 1974, 36–52.

heiten zu wahren und den Weg der Glaubensverkündigung in die Zukunft zu bestimmen. In dieser Versammlung zu Jerusalem werden bereits die wesentlichen Momente des Selbstverständnisses der späteren Konzilien erkennbar. Entscheidend ist – und wird bleiben – das Bewußtsein der gemeinsamen Verantwortung. So kann etwa Bischof Cyprian von Karthago nach dem Tod des römischen Bischofs Fabianus (250) an den Klerus in Rom schreiben: „Wir müssen uns alle gemeinsam um die gute Verwaltung der Kirche kümmern"[4].

Die ältesten in den Quellen faßbaren Bischofssynoden wurden in der zweiten Hälfte des 2. Jahrhunderts in Kleinasien gegen die Montanisten gehalten, wenig später die Synoden über den Termin des Osterfestes, angeregt offenbar vom römischen Bischof Victor (189? – 198?), der im Jahr 197 in dieser Streitfrage eine Synode in Rom versammelte. Ein Bezug auf das „Apostelkonzil" ist nicht erkennbar. Den Anlaß boten offenbar praktische Notwendigkeiten. Im 3. Jahrhundert begegnen Synoden bereits als gewohnte Einrichtungen. Sie erklären sich aus dem Bewußtsein der Zusammengehörigkeit der christlichen Gemeinden und aus gemeinsamer Verantwortung. Die auf der Synode versammelten Bischöfe beanspruchten und übten eine Autorität über den einzelnen Bischof, was sich vor allem in der Absetzung von Bischöfen dokumentierte. Die Autorität dieser Synoden hing letztlich davon ab, ob die Beschlüsse von der Gesamtkirche angenommen wurden. Die Anpassung der kirchlichen Organisation an die politische Gliederung des Römischen Reiches vollzog sich erst kurz vor dem Konzil von Nicaea. Am Beginn des 4. Jahrhunderts waren Bischofssynoden bereits eine ständige Einrichtung. Mit dem Ausbau der kirchlichen Organisation ergab sich auch eine Differenzierung des synodalen Lebens der Kirche[5].

---

[4] Ep. 35. CSEL 3, 2 (ed. G. Hartel) 571.

[5] H. Marot, Vornicäische und ökumenische Konzile, in: Das Konzil und die Konzile 23–51. – Vgl. C. Andresen, Die Kirchen der alten Christenheit, Stuttgart 1971, 113, 186–204. – O. Heggelbacher, Geschichte des frühchristlichen Kirchenrechts bis zum Konzil von Nizäa 325, Freiburg/Schweiz 1974, 105–121. – J. A. Fischer, Die antimontanistischen Synoden des 2./3. Jahrhunderts, in: Annuarium Historiae Conciliorum 6 (1974) 241–273.

Der Vorrang des Bischofs von Rom stand auf allen vornicaenischen Synoden noch völlig im Schatten[6]. Cyprian von Karthago[7] vertrat in Theorie und Praxis die Gleichheit aller Bischöfe untereinander, aber auch die höhere Autorität der Synode gegenüber dem einzelnen Bischof. Nur in den Synoden über den Osterfeststreit steht zu vermuten, daß Bischof Victor von Rom die Einberufung veranlaßt hat. Ein positives Zeugnis dafür enthält aber lediglich der Brief des Bischofs Polycrates von Ephesus an Bischof Victor und die römische Kirche: „Ihr habt es für gut gehalten, daß ich die Bischöfe berief." Nun teilt der selbstbewußte Bischof von Ephesus das Resultat mit: die Synode hat sich gegen die Annahme der römischen Praxis in der Osterfrage entschieden. Polycrates beruft sich auf die großen Autoritäten der Kirchen in Kleinasien, von den Aposteln Johannes und Philippus angefangen bis auf Meliton von Sardes, auch auf seine Vorgänger in Ephesus, von denen sieben aus seiner eigenen Familie gekommen seien. Auf die Drohung Victors mit der Exkommunikation antwortet er, daß er sich durch keine Drohung schrecken lasse; „denn größere Männer als ich haben gesagt: Man muß Gott mehr gehorchen als den Menschen." Nur durch die Ver-

---

[6] Knapper, guter Überblick mit den wichtigsten Quellenbelegen bei W. de Vries, Der Episkopat auf den Synoden vor Nicäa, in: Theologisch-praktische Quartalschrift 111 (1963) 263–277; ders., Die Kollegialität auf Synoden des ersten Jahrtausends, in: Orientierung 33 (1969) 243 f., 260–262. – Zur Geschichte des Papsttums: E. Caspar, Geschichte des Papsttums, 2 Bde., Tübingen 1930–1933. – J. Haller, Das Papsttum. Idee und Wirklichkeit, 5 Bde., Urach u. Stuttgart ²1950 bis 1953, Neudruck Darmstadt 1962. – L. von Pastor, Geschichte der Päpste seit dem Ausgang des Mittelalters, 16 Bde., Freiburg i. Br. 1886–1933. – J. Schmidlin, Papstgeschichte der neuesten Zeit, 4 Bde., München 1933–1939. – F. X. Seppelt, Geschichte der Päpste, 5 Bde. (I², II², III; IV² und V² neu bearbeitet von G. Schwaiger), München 1954–1959. – F. X. Seppelt – G. Schwaiger, Geschichte der Päpste. Von den Anfängen bis zur Gegenwart, München 1964. – G. Schwaiger, Geschichte der Päpste im 20. Jahrhundert, München 1968. – A. Franzen – R. Bäumer, Papstgeschichte. Das Petrusamt in seiner Idee und seiner geschichtlichen Verwirklichung in der Kirche, Freiburg i. Br. 1974.

[7] CSEL 3, 1–3, (ed. G. Hartel, Wien 1868–1871). – H. Koch, Cathedra Petri, Gießen 1930. – Caspar, Geschichte des Papsttums, I 59–91. – B. Poschmann, Ecclesia principalis, Breslau 1933. – W. Marschall, Karthago und Rom. Die Stellung der nordafrikanischen Kirche zum apostolischen Stuhl in Rom, Stuttgart 1971 (Päpste und Papsttum, hrsg. v. G. Denzler, Bd. 1). – H. Gülzow, Cyprian und Novatian. Der Briefwechsel zwischen den Gemeinden in Rom und Karthago zur Zeit der Verfolgung des Kaisers Decius, Tübingen 1974.

mittlung des Bischofs Irenäus von Lyon wurde ein Schisma vermieden[8].

In einigen Fällen haben wir Nachricht darüber, daß manche Synoden ihre Beschlüsse dem Bischof von Rom mitgeteilt haben, wie anderen Bischöfen auch. Die Synode von Antiochien (268) richtet ihr Schreiben an „Dionysius [von Rom], Maximus [von Alexandrien] und alle Bischöfe, unsere Kollegen auf dem ganzen Erdkreis, die Priester und Diakone und die ganze katholische Kirche, die unter dem Himmel ist". Der Beschluß wird lediglich mitgeteilt[9]. Ähnlich schreibt die Synode von Arles (314) an Bischof Silvester von Rom: „Wir teilen Deiner Liebe mit, was wir durch gemeinsamen Beschluß dekretiert haben, damit alle wissen, was sie in Zukunft zu beobachten haben"[10]. Niemand denkt an eine Bestätigung, nur um Verbreitung der Beschlüsse wird gebeten. Die Bischofssynoden der einzelnen Regionen verstanden sich mit Recht als befugte Organe, „im Namen und in der Autorität des Bischofskollegiums der Gesamtkirche zu handeln. Es gab damals keine andere konkrete Möglichkeit, Fragen zu entscheiden, die entschieden werden mußten"[11].

---

[8] Eusebius, Historia ecclesiastica IV 14, 1; V 23–25. Zur Problematik neuerdings N. Brox, Tendenzen und Parteilichkeiten im Osterfeststreit des zweiten Jahrhunderts, in: Zeitschrift für Kirchengeschichte 83 (1972) 291–324.

[9] Es geht um den Bischof von Antiochien, Paul von Samosata. Eusebius, Hist. eccl. VII 27–30.

[10] Eusebius, Hist. eccl. X 5, 21–24; Mansi II 470–477. Augustinus nannte die Synode später plenarium ecclesiae universae concilium. Ep. 43, 7, 19; CSEL 34, 2, 101. Die Synode behauptete von sich, daß sie tage praesente Spiritu Sancto et angelis eius. Mansi II 469; Optatus, CSEL 26, 207. Über die Vertretung des römischen Bischofs Silvester durch zwei Presbyter und zwei Diakone: Mansi II 469, 476.

[11] W. de Vries, Die Kollegialität (s. Anm. 6) 244.

II. Die Ökumenischen Konzilien der alten Christenheit

„Von der alten Kirche reden, heißt von der Kirche überhaupt reden." Diese Feststellung Hans Ulrich Instinsky's[1] ist zweifellos zutreffend. Zu den entscheidenden Epochen der Kirchengeschichte gehört die tiefgreifende Wandlung des Verhältnisses von Kirche, Gesellschaft und Staat im Römischen Reich während des 4. Jahrhunderts. Sie ist mit der religionspolitischen Entscheidung Kaiser Konstantins seit 312 unlösbar verbunden. Wie immer man die „Konstantinische Wende" oder das „Konstantinische Zeitalter" beurteilen mag: die grundlegenden Entscheidungen, die alle späteren Entwicklungen erst ermöglicht haben, sind unter und durch Konstantin gefallen[2]. Die konstantinische Entscheidung für das Christentum wurde maßgeblich auch für die ersten sieben oder acht Ökumenischen Konzilien, in denen sich ein beträchtlicher Teil der Lebensvorgänge der alten Kirche – und damit „der Kirche überhaupt" – spiegelt.

Nicaea 325

In den arianischen Wirren versuchte Kaiser Konstantin zunächst, den Glaubensstreit friedlich beizulegen: Arius sollte sich mit seinem Bischof versöhnen, und jede öffentliche Diskussion sollte eingestellt werden. Bischof Ossius von Cordova, der theologische Berater des Kaisers, gewann in Alexandrien die Überzeugung, daß die aufgeworfene Glaubensfrage von größter Tragweite sei. Bischof Alexander von Alexandrien hatte den Presbyter Arius und seine Anhänger im Klerus aus der Kirche ausgeschlossen und dieses Urteil durch eine

[1] Die Alte Kirche und das Heil des Staates, München 1963, 11.

[2] Zur Fülle der Literatur: K. Baus, Von der Urgemeinde zur frühchristlichen Großkirche; ders., Die Reichskirche nach Konstantin dem Großen. (Handbuch der Kirchengeschichte I, II/1, Freiburg 1962–1973). – C. Andresen, Die Kirchen der alten Christenheit, 307–522, bes. 315–332.

Gesamtsynode der Bischöfe Ägyptens bekräftigt. Das Ergebnis der Synodalentscheidung hatte Bischof Alexander allen Bischöfen des Ostens und auch dem römischen Bischof Silvester mitgeteilt. Doch der Streit kam nicht zur Ruhe. Der Kaiser und sein Berater Ossius sahen nur noch eine Möglichkeit, den Frieden herzustellen: Der Gesamtepiskopat sollte sich zu einer Großsynode versammeln und nach gründlicher Beratung eine verbindliche Entscheidung treffen. So kam es zur kaiserlichen Berufung des ersten „ökumenischen" Konzils, das 325 in Nicaea zusammentrat[3]. Neben der arianischen Frage standen noch andere Verhandlungspunkte an, zum Beispiel der immer noch strittige Ostertermin.

Die frühen Quellen berichten übereinstimmend und glaubwürdig, daß die Initiative zu dieser Lösung vom Kaiser ausgegangen ist. Der Weg war nicht neu. Schon in den Anfängen des Donatistenstreites hatte sich Konstantin für die Einberufung der Synode von Arles (314) entschieden. Erst die Silvesterlegende des 5. Jahrhunderts, die von der Taufe Konstantins im Lateranpalast und von seiner Heilung vom Aussatz zu berichten weiß, schiebt in handgreiflicher Tendenz den Papst in den Vordergrund: „auf seinen Befehl" habe die Synode in Nicaea sich versammelt. Diese und ähnliche Legenden bezüglich der folgenden Ökumenischen Konzilien der alten Kirche gingen in die katholische Kirchengeschichtsschreibung ein und hielten sich zäh in den Nachwirkungen, auch als die Fälschungen längst als solche erkannt waren. Es ist heute sicher, „daß Konstantin mit Rom weder Verhandlungen über eine eventuelle Einberufung der Großsynode geführt noch die Zustimmung des römischen Bischofs erbeten hat. Erst das Konzil von 680 (6. Allgemeines Konzil) schreibt Kaiser und Papst die gemeinsame Einberufung zu"[4].

---

[3] COD 1–19. – I. Órtiz de Urbina, Nizäa und Konstantinopel, Mainz 1964 (Geschichte der ökumenischen Konzilien I). – K. Baus, in: Handbuch der Kirchengeschichte II/1 (1973), 17–30.

[4] Baus 24. – Vgl. V. Grumel, Le siège de Rome et le Concile de Nicée, convocation et présidence, in: Echos d'Orient 24 (1925) 411–423. – G. Langgärtner, Das Aufkommen des ökumenischen Konzilsgedankens, in: Münchener Theologische Zeitschrift 15 (1964) 111–126. – W. de Vries, Die Struktur der Kirche gemäß dem ersten Konzil von Nikaia und seiner Zeit, in: Wegzeichen. Festgabe Hermenegild M. Biedermann, Würzburg 1971, 55–81; ders., Orient et Occident. Les structures ecclésiales vues dans l'histoire des sept premiers conciles oecuméniques, Paris 1974, 13–42.

In Nicaea erschienen wohl gegen 300 Bischöfe aus allen geographischen Bereichen des Christentums[5]. Der lateinische Westen des Reiches war sehr schwach repräsentiert; nur fünf Bischöfe folgten der kaiserlichen Einladung, an der Spitze Ossius von Cordova, der Vertraute des Kaisers und vielleicht auch Vertreter Bischof Silvesters von Rom, der aber noch die Presbyter Victor (Vitus) und Vincentius geschickt hatte. Ossius eröffnet stets die Namensliste der Bischöfe des I. Nicaenums. Die Presbyter Victor und Vincentius erhielten ihren Platz neben Ossius[5a].

Die Akten des Konzils von Nicaea sind nicht erhalten. Deshalb ist es nicht möglich, die Geschäftsordnung, den Ablauf der Debatten und die Zahl der Sitzungen genau zu rekonstruieren. Doch vermitteln die erhaltenen Quellen ein hinlänglich deutliches Bild. Die Kirche, repräsentiert in der Versammlung der Bischöfe, trifft mit der Annahme der Glaubensformel eine Entscheidung im Bereich des Glaubens, die klar den Charakter einer dogmatischen Definition trägt. Absicht und allgemeine Überzeugung ist es, daß das Konzil in einer umstrittenen Glaubensfrage einen definitiven, die ganze Kirche bindenden Urteilsspruch fällt. Dieses Ziel, die bedrohte Glaubenslehre zu sichern, wurde durch das erste Ökumenische Konzil schließlich erreicht, auch wenn die bekannten theologischen und kirchenpolitischen Streitigkeiten noch sehr lange nachwirkten und das Reich erschütterten. Ein Satz, den Kaiser Konstantin nach dem Konzil an die Gemeinde von Alexandrien schrieb, gibt das allgemeine Glaubensbewußtsein treffend wieder: „Was die dreihundert Bischöfe beschlossen haben, ist nichts anderes als Spruch Gottes, da ja der in diesen Männern gegenwärtige Heilige Geist den Willen Gottes sichtbar machte“[6]. Das Ökumenische Konzil, wie es sich in

---

[5] Über die Listen der Konzilsteilnehmer: E. Honigmann, in: Byzantion 11 (1936) 429–449, 14 (1939) 65–76, 16 (1942/43) 22–28, 20 (1950) 63–71. – E. Schwartz, Über die Bischofslisten der Synoden von Chalkedon, Nikaia und Konstantinopel, München 1937. – M. Aubineau, Les 318 serviteurs d'Abraham et le nombre des Pères au Concile de Nicée, in: Revue d'Histoire Ecclésiastique 61 (1966) 5–43.

[5a] B. Kötting, Die abendländischen Teilnehmer an den ersten allgemeinen Konzilien, in: Reformata Reformanda. Festgabe H. Jedin, hrsg. v. E. Iserloh u. K. Repgen, Münster 1965, I 1–21. – Handbuch der Kirchengeschichte II/1, 25.

[6] G. H. Opitz, Urkunden zur Geschichte des arianischen Streites (318–328) (Athanasius, Werke III/1), Berlin 1934, n. 25, 8.

Nicaea versammelt hatte, ist unbestritten die höchste Autorität in der Kirche. Die „Große und Heilige Synode der 318 Väter" in Nicaea wurde das leuchtend gepriesene Vorbild aller späteren Ökumenischen Konzilien.

In den schweren arianischen Wirren des späteren vierten Jahrhunderts stand Bischof Athanasius von Alexandrien, der kompromißlose Führer der Orthodoxen, im Brennpunkt des kirchenpolitischen Streits. Auf der Synode von Serdica (Herbst 342 oder 343) kam es nicht einmal zu einer einzigen gemeinsamen Sitzung der westlichen und östlichen Gruppe. In getrennten Versammlungen schloß man jeweils die führenden Leute der Gegenpartei aus. Die Versammlung der westlichen Bischöfe faßte dabei disziplinäre Bestimmungen in 21 Canones zusammen, die später immer wieder als Zeugnisse des päpstlichen Primates zitiert und bald sogar als „nicaenisch" ausgegeben wurden. Aber von einem Konsens der Gesamtkirche konnte in Serdica keine Rede sein. In Wirklichkeit waren nur partikularrechtliche Vorstellungen des lateinischen Westens ausgesprochen worden, die niemals in der ganzen ungeteilten Kirche Anerkennung gefunden haben. Serdica steht am Beginn eines langen Entfremdungsprozesses zwischen der östlichen und westlichen Christenheit, der im 11. Jahrhundert zur bleibenden Trennung geführt hat[7].

Konstantinopel 381

Weder die umstrittenen Glaubensformeln von Sirmium noch die Tragödie der Doppelsynode von Seleukia-Rimini (359) konnten den Frieden in Reich und Reichskirche herstellen. Nach dem fortschreitenden Zerfall der arianischen Partei kam die nicaenische Theologie

---

[7] E. J. Jonkers, Acta et symbola Conciliorum, quae saeculo IV habita sunt, Leiden 1954. – H. Hess, The Canons of the Council of Sardica A. D. 343, Oxford 1958. – P.-P. Joannou, Die Ostkirche und die Cathedra Petri im 4. Jahrhundert, Stuttgart 1972. – K. Baus, in: Handbuch der Kirchengeschichte II/1, 33–51. – W. Gessel, Das primatiale Bewußtsein Julius' I. im Lichte der Interaktionen zwischen der Cathedra Petri und den zeitgenössischen Synoden, in: Konzil und Papst. Festgabe für H. Tüchle, hrsg. v. G. Schwaiger, München-Paderborn-Wien 1975, 63–74.

auf dem Konzil von Konstantinopel (381)[8] endgültig zum Durchbruch. Bischof Meletius von Antiochien führte den Vorsitz, als er schon in den Anfängen der Verhandlungen starb, dann einige Zeit Gregor von Nazianz, der nun feierlich als Bischof von Konstantinopel inthronisiert wurde.

Diese Kirchenversammlung von Konstantinopel war von Kaiser Theodosius I. berufen[9]. Im Westen versammelte sich zur gleichen Zeit eine Synode in Aquileia[10]. Die Synode in Konstantinopel wurde von den Teilnehmern – etwa 150 Bischöfen des Ostens[11] – nicht als Konzil der gesamten Reichskirche verstanden. Der Episkopat des Westens war nicht eingeladen und auch tatsächlich nicht vertreten. In ihrem Schlußbericht an Kaiser Theodosius bezeichneten sich die Synodalen selbst als „Synode der aus verschiedenen Eparchien [des Ostens] ... versammelten Bischöfe"[12]. Der Kaiser ließ dementsprechend die Beschlüsse nur im östlichen Reichsteil verkünden. Offensichtlich ging auch kein unmittelbarer Bericht über die Verhandlungen der Synode an den römischen Bischof Damasus und an den Episkopat des Westens. In einem Schreiben nach Rom vom Jahre 382 bezeichnete die Synode von Konstantinopel zwar die Bischofsversammlung des Vorjahres als „ökumenische Synode"[13], „aber nach dem Sprachgebrauch des 4. Jahrhunderts will ‚ökumenisch' hier noch nicht eine kirchenrechtliche Qualifikation der Synode aussprechen, sondern nur aussagen, daß ihre Teilnehmer aus der (griechisch sprechenden) Oikumene kamen und durch den Kaiser eingeladen waren"[14]. Dieser Rechtsauffassung entspricht auch die Wertung der Konstantinopler Synode von Ost und West bis zum Konzil

---

[8] COD 21–35. – I. Ortiz de Urbina, Nizäa und Konstantinopel. Mainz 1964 (Geschichte der ökumenischen Konzilien I). – A.-M. Ritter, Das Konzil von Konstantinopel und sein Symbol, Göttingen 1965. – G. L. Dossetti, Il simbolo di Nicea e di Costantinopoli, Rom 1967. – K. Baus, in: Handbuch der Kirchengeschichte II/1, 61–80. – W. de Vries, Die Beziehungen zwischen Ost und West in der Kirche zur Zeit des ersten Konzils von Konstantinopel (381), in: Ostkirchliche Studien 22 (1973) 30–43; ders., Orient et Occident, Paris 1974, 43–60.

[9] A. Morillo, La convocazione del Concilio di Costantinopoli, in: Labeo 3 (1957) 60–71.

[10] Akten bei J. P. Migne, PL 16, 916–955.

[11] N. G. King, The 150 Holy Fathers of the Council of Constantinople 381, in: Studia Patristica 1 (Berlin 1957) 635–641.

[12] Mansi III 557.

[13] COD 29.

[14] Baus 79.

von Chalkedon (451). Die westlichen Quellen sprechen nicht mehr von ihr, östliche Zeugnisse sind recht spärlich. Von 431 an wurde das Konzil von Ephesus als „zweite Synode“ – nach Nicaea (325) – betrachtet. Erst in Chalkedon wurde das Konzil von 381 entscheidend aufgewertet. Eine wesentliche Rolle spielte dabei die Durchsetzung des Glaubens von Nicaea in der östlichen Bischofsversammlung von 381 und die Rechtfertigung des 3. Canons. Die Synode von 381 brachte in der Glaubensfrage die jahrzehntelangen Diskussionen um die trinitarische Frage, mit starker Betonung der Gottheit des Heiligen Geistes, zum Abschluß, so daß der Arianismus innerhalb der Reichskirche – anders in den germanischen Stammeskirchen – fortan keine nennenswerte Bedeutung mehr hatte. Canon 2 bekräftigte die einschlägigen Bestimmungen von Nicaea (can. 4–7) und bestimmte, daß die Angelegenheiten einer Kirchenprovinz von der zuständigen Provinzialsynode zu behandeln seien. Dies entsprach dem Rechtsbrauch der Zeit. Nachdrücklich wurde eingeschärft, daß kein Bischof kirchliche Funktionen außerhalb der politischen Diözese seines Bistums ausüben dürfe. Alle politischen Diözesen des östlichen Reichsteiles werden mit Namen genannt: Oriens (mit Bestätigung der Privilegien des Konzils von Nicaea für die Kirche von Antiochien), Asia, Pontus und Thracia[15]. Es zeichnete sich bereits die Entwicklung ab, die zur Ausbildung der östlichen Patriarchate führen sollte.

Besonders folgenschwer wurde Canon 3 des Konzils von Konstantinopel: „Der Bischof von Konstantinopel soll den Ehrenprimat nach dem Bischof von Rom haben, denn diese Stadt ist das Neue Rom“[16]. Den besonderen Rang von Rom, Antiochien und Alexandrien hatte man bisher vor allem in ihrem „apostolischen“ Ursprung gesehen. Nun wurde die gewaltige kirchliche Rangerhöhung Konstantinopels eindeutig mit der politischen Bedeutung der Stadt als der neuen Hauptstadt des östlichen Reichsteiles begründet. Damit war unausgesprochen auch die Sonderstellung des Bischofs von Rom auf den politischen Rang Altroms zurückgeführt. Die schweren Spannungen zwischen Konstantinopel und Alexandrien hatten gewiß nicht un-

---

[15] COD 31s.

[16] „Περὶ τοῦ μετὰ τὸν Ῥώμης ὅτι δεύτερος ὁ Κωνσταντινουπόλεως. Τὸν μέντοι Κωνσταντινουπόλεως ἐπίσκοπον ἔχειν τὰ πρεσβεῖα τῆς τιμῆς μετὰ τὸν Ῥώμης ἐπίσκοπον διὰ τὸ εἶναι αὐτὴν νέαν Ῥώμην.“ COD 32.

wesentlich zu dieser Entwicklung beigetragen, aber eine antirömische Spitze lag der Konstantinopler Versammlung 381 offensichtlich fern. Der Vorrang Roms war nicht in Frage gestellt, und eine unmittelbare Reaktion Roms scheint nicht erfolgt zu sein. Erst in Chalkedon 451 erging ein förmlicher römischer Protest[17]. Die Päpste Leo I.[18] und Gregor I.[19] behaupteten, die Canones von 381 seien Rom damals nicht mitgeteilt worden. Der römische Bischof zur Zeit des Konzils von Konstantinopel 381, Papst Damasus, sprach als erster von Rom als „dem Apostolischen Stuhl", und wohl auf eine römische Synodalkundgebung von 382 geht der Begriff vom „Primat der römischen Kirche" statt des cyprianischen „Primats des Petrus" zurück. In dieser neuen Bedeutung traten die Begriffe „der Apostolische Stuhl" und „der Primat der römischen Kirche" ihre weltgeschichtliche Bedeutung an. Die ganze Regierung des Papstes Damasus (366–384) ist von einem „römischen" Programm gekennzeichnet, die „Glieder" der Kirche in der östlichen Reichshälfte in Fragen der kirchlichen Lehre und Disziplin unter den Willen des Hauptes in Rom zu beugen[20]. Die wachsende Entfremdung in der Kirche zwischen Ost und West brachte Gregor von Nazianz, zeitweilig Bischof von Konstantinopel und Vorsitzender des Konzils von 381, in seinem autobiographischen Gedicht deutlich zum Ausdruck, wenn er über den neuen Bischof Timotheus von Alexandrien und Acholius von Thessalonike, den einzigen Abendländer auf dem Konzil, schreibt: „Sie kamen und bliesen uns den rauhen Wind des Westens zu"[21]. Und an einer anderen Stelle des Gedichts sagt dieser hochgebildete Repräsentant der griechischen Kirche vom Westen: „Er ist, soviel ich sehe, jetzt die Fremde"[22]. Die stimmungsmäßige Entfremdung, verursacht durch vielerlei Umstände, nicht zuletzt durch Unbedachtheit, Verständnislosigkeit und Agitation auf beiden Seiten, schritt weiter voran, auch wenn man in den folgenden Jahrhunderten trotz zeitweiliger schwerster Belastungen noch beisammenblieb oder sich immer wieder notdürftig zusammenfand.

---

[17] ACO II. III, 3, 113 f.
[18] Leo, Ep. 106, 5.
[19] Gregor, Ep. 34. – Baus, Handbuch II/1, 78.
[20] Vgl. Caspar I 232–243.
[21] Gregor, De vita sua, Vers 1802. Migne PG 37 p. 1155.
[22] Vers 1637. Ebda. p. 1143.

Ephesus 431

Das Ökumenische Konzil von Ephesus (431)[23] vollzog sich in Formen bedrückender menschlicher Unzulänglichkeit. Den unmittelbaren Anlaß hatten die Gegensätze in der christologischen Frage zwischen der antiochenischen und alexandrinischen Theologie geboten, verstärkt durch die harte Rivalität zwischen den Patriarchensitzen Konstantinopel und Alexandrien. Der gelehrte, wortgewaltige Patriarch Nestorius von Konstantinopel und Patriarch Kyrill von Alexandrien standen sich gegenüber. Der Streit ging um die Menschwerdung Christi und – damit zusammenhängend – um die Titel Mariens, der Mutter Jesu. Nestorius informierte als erster auch Papst Cölestin I. (422–432) über den Konflikt[24]. Doch Patriarch Kyrill erwies sich an diplomatischer Geschicklichkeit Rom und dem Kaiserhaus gegenüber seinem Gegner weit überlegen. Man gewinnt den Eindruck, daß in der Umgebung des Papstes Cölestin die eigentliche Problematik der theologischen Diskussion des griechischen Ostens nicht verstanden wurde. Kyrill von Alexandrien hatte klugerweise seine Darstellungen gegen Nestorius in Rom auch in lateinischer Übersetzung vorgelegt[25], was der Patriarch von Konstantinopel unterlassen hatte. Der Streit der östlichen Patriarchen bot zudem Papst Cölestin die Gelegenheit, die römischen Vorstellungen des Primates zu demonstrieren, besonders gegenüber dem neuen Anspruch Konstantinopels. Eine römische Synode verurteilte summarisch den Patriarchen Nestorius, weil er in Widerspruch zur Tradition stehe, in Christus einen bloßen Menschen sehe, weil er die Jungfrauengeburt in Frage stelle. Vom Patriarchen Nestorius forderte Papst Cölestin öffentlichen Widerruf innerhalb von zehn Tagen, Kyrill erhielt Weisung, im Namen Cölestins für die Durchführung des römischen Synodalbeschlusses Sorge zu tragen[26]. Damit brachte Papst Cölestin die Doktrin des römischen Vorranges in einer Form zur Anwendung, wie sie seit den Tagen der Päpste Damasus I.,

---

[23] COD 37–74. – P.-Th. Camelot, Ephesus und Chalcedon, Mainz 1963 (Geschichte der ökumenischen Konzilien II). – K. Baus, in: Handbuch der Kirchengeschichte II/1, 97–113.
[24] ACO I. II, 3, 12–14.
[25] ACO I. I, 5, 10–12.
[26] ACO I. II, 5–20.

Siricius, Innocenz I., Zosimus und Bonifatius I. entfaltet und ausgebaut worden war. Man hatte in Rom gelernt, die Geschichte durch die Doktrin zu meistern. Bonifatius I. (418–422), vor seiner Wahl lange der Spezialist für die Orientpolitik der römischen Kirche, ordnete als Theoretiker der päpstlichen Doktrin das Bild der Geschichte nach den Kategorien des eigenen Denkens. Sein Blick war auf das Ziel des römischen Universalepiskopates gerichtet. Die damasianische Theorie von den drei Petrusstühlen – Rom, Alexandrien, Antiochien – wurde aufgegriffen, um das „Neue Rom" Konstantinopel aus dem Kreis der alten Großkirchen nicaenischen Rechtes hinauszuweisen. In den letzten Briefen Bonifatius' I. erscheint zum erstenmal eine von der päpstlich-römischen Sicht geprägte Gesamtschau vom Aufbau der Kirche in geschichtlicher Entwicklung[27].

Aus den Dekretalen Cölestins I. spricht vollends ein ausgeprägt autoritäres Bewußtsein, dem jede Durchbrechung der amtlich gesetzten kirchlichen Ordnungen – wie man sie in Rom überliefert, setzt und ausdeutet, – zuwider ist. Für diese Wendung ins Amtliche, Unpersönlich-Statuarische ist besonders kennzeichnend die Formulierung, die Cölestin I. dem päpstlichen Fundamentalsatz, der Verheißung an Petrus (Mt 16, 18. 19), in seiner illyrischen Dekretale gegeben hat: „Wir vor allem sind durch die Sorge für alle gebunden; denn Christus hat uns den Zwang, alle Angelegenheiten zu behandeln, in dem heiligen Apostel Petrus auferlegt, indem er ihm die Schlüssel, zu lösen und zu binden, gab und ihn unter seinen Aposteln, ohne daß einer geringer wäre als der andere, vorzüglich erwählte, als der, der Erster sein sollte. Über uns sollen die Regeln Herren sein, nicht wir über die Regeln. Unterwerfen wir uns den Canones, indem wir ihre Vorschriften halten"[28]. In diesem letzten Satz klang wörtlich die Antwort Cölestins I. an Bischof Augustinus von Hippo an, als dieser ihm vorgehalten hatte, des Apostels Petrus zu gedenken, „welcher die Vorsteher der christlichen Gemeinden gemahnt hat, nicht gewaltsam über die Brüder zu herrschen"[29]. Das Papst-

[27] Vgl. Caspar I 378–381.

[28] Mansi VIII 760. – Regesta Pontificum Romanorum, edd. Ph. Jaffé – F. Kaltenbrunner I² (Leipzig 1885) n. 366.

[29] Augustinus, Ep. 209 c. 9: „per Petri memoriam qui Christianorum praepositos populorum monuit, ne violenter dominentur in fratres." – Cölestin (Jaffé-Kaltenbrunner 366): „eum [Petrum] maxime, qui esset primus, legit. Dominentur nobis regulae, non regulis dominemur." – Caspar I 387.

tum versteht sich hier als gottgesetzte Institution, und aus diesem Selbstverständnis heraus werden fortan durch alle Zeiten die Vorwürfe persönlichen Ehrgeizes und irdischer Herrschsucht von den Päpsten zurückgewiesen.

Aus solchem Verständnis seines Amtes griff Cölestin I. in den Streit der östlichen Patriarchen ein. Die böse Verschärfung des Konfliktes ergab sich aus der eigenmächtigen Art, wie Kyrill von Alexandrien den päpstlichen Auftrag zur Durchführung des römischen Synodalbeschlusses gegen Nestorius ausführte. Das Vorgehen Kyrills gegen den Patriarchen Nestorius und die antiochenische Schule vor und auf dem Konzil von Ephesus war durch größte Rücksichtslosigkeit unrühmlich ausgezeichnet. Dem Papsttum aber boten die Tragödie des Patriarchen Nestorius in seinem Kampf mit Kyrill und das Konzil von Ephesus die Gelegenheit, die neuen römischen Ansprüche des Dekretalenzeitalters auf der großen Bühne der orientalischen Reichskirche aller Welt sichtbar zu demonstrieren. Von einer Tragödie kann man mit vollem Recht sprechen, weil die unterschiedlichen Auffassungen der antiochenischen und alexandrinischen Schule in der Inkarnationsfrage durchaus nicht häretisch und kirchenspaltend hätten werden müssen. Das treibende Moment zur Katastrophe bildeten der lauernde Haß und der unerbittliche Vernichtungswille, mit dem Kyrill den nestorianischen Streit schürte und zum Gipfel trieb. Seine stärkste Kampftruppe bildeten dabei Mönchshaufen – wenig gebildet, vernunftfeindlich und deshalb leicht fanatisierbar, die man in Ägypten bereits seit den Zeiten des Athanasius als geschickt lenkbares Instrument alexandrinischer Machtpolitik einzusetzen verstand[30].

Unter dem Einfluß seines Patriarchen Nestorius berief Kaiser Theodosius II. auf Pfingsten 431 ein Reichskonzil nach Ephesus. Die Einladung ging an sämtliche Metropoliten des Ostens und auch solche des Westens, auch an die Afrikaner, insbesondere an Augustinus, dessen Tod dem Hof noch unbekannt war. Auch an Papst Cölestin I. erging die kaiserliche Einladung. Der römische Bischof erkannte in seinem Antwortschreiben die kaiserliche Berufung als völlig rechtmäßig an und teilte mit, daß er Legaten schicken werde: „Obwohl es hinreicht, daß die Sorge Euerer Milde um die Verteidi-

---

[30] Caspar I 390.

gung des katholischen Glaubens ... diesen, nach der Verurteilung des Irrtums schlechter Lehrsätze, unversehrt und unbefleckt bewahrt ..., so widmet doch jeder von uns, seinem bischöflichen Amt entsprechend, alle seine Kräfte dieser himmlischen Sorge und Ehre und sind wir auch auf der von Dir angeordneten Synode in unseren Gesandten gegenwärtig"[31].

Der ursprüngliche römisch-alexandrinische Plan, den Nestorius durch ein selbständiges Vorgehen der beiden Vororte Alexandrien und Rom zu richten, war durch die kaiserliche Berufung des Reichskonzils vereitelt. Papst Cölestin hatte kurz vorher Kyrill mit seiner „Stellvertretung" im Vorgehen gegen Nestorius betraut, ohne daß dieser sich freilich sonderlich um eine derartige römische Delegation gekümmert hätte. Nun stellte sich der Papst in seinem Antwortschreiben an Kyrill bereits auf den Boden der neuen, durch den Kaiser geschaffenen Tatsachen: „Mit geringer Mühe läßt sich Ruhe für die Kirchen und den katholischen Glauben erhoffen, wenn wir die allerchristlichsten Herrscher so dafür arbeiten sehen. Nicht wirkungslos ist, zumal in Sachen der Religion, die königliche Fürsorge, die Gott verdankt wird, der die Herzen der Könige lenkt (Prov. 21, 1)." Gott wolle nicht den Tod des Sünders (Ez. 18, 32), und nach dem Apostel Paulus solle ein jeder Mensch das Heil erlangen und zur Erkenntnis der Wahrheit kommen (1 Tim. 2,4). „Deiner Heiligkeit und dem Konzil der ehrwürdigen Brüder mag es nach Gottes Ratschluß vorbehalten sein, den in der Kirche aufgekommenen Lärm zur Ruhe zu bringen und die Sache mit Gottes Hilfe durch willkommene Besserung zu erledigen"[32]. Dies bedeutete den Verzicht auf die frühere Absicht, den Streit durch Kyrill vice apostolica entscheiden zu lassen. Noch war die Kluft zwischen römischer Doktrin und reichskirchlicher Wirklichkeit allzu beträchtlich. Mit keinem Wort werden die Anathematismen erwähnt, die Kyrill auf seiner Synode bereits erlassen hatte. Wieder zeichnet sich die oft bewährte römische Zurückhaltung in östlichen Glaubensstreitigkeiten deutlicher ab.

In dem Begrüßungsschreiben an die Synode selbst, die Cölestin seinen Gesandten, den Bischöfen Arcadius und Proiectus und dem

---

[31] ACO I. I, 7, 129. – Mansi IV 1291.
[32] ACO I. II, 26 f. – Caspar I 404 f.

Presbyter Philippus, mitgab, betont der Papst ausdrücklich die Autorität der Versammlung, die sich herleite vom Heiligen Geist, der in ihrer Mitte weile: „Von der Gegenwart des Heiligen Geistes gibt Zeugnis die Versammlung der Bischöfe. Denn sicher ist, was wir lesen ... (Mt 18, 20): Wo zwei oder drei in meinem Namen versammelt sind, da bin ich mitten unter ihnen. Wenn dem so ist, wenn der Heilige Geist einer so kleinen Zahl seine Gegenwart nicht vorenthält, um wie viel mehr müssen wir nun an seine Gegenwart glauben, wo eine so große Schar von Heiligen versammelt ist? Heilig und verehrungswürdig nämlich ist die Versammlung, durch die wir an die so zahlreiche und ehrwürdige Versammlung der Apostel erinnert werden (Apg 15). Diese Sorge für die aufgetragene Verkündigung ging im allgemeinen auf alle Bischöfe des Herrn über, denn wir sind zu dieser Sorge nach dem Erbrecht verpflichtet, die wir in den verschiedenen Ländern anstelle der Apostel den Namen des Herrn verkünden." Der Papst spricht hier klugerweise vom Lehramt aller Bischöfe, von der apostolischen Nachfolge und von der synodalen Wahrung des rechten Glaubens. Dies sind Gedanken aus der älteren Schicht der Auffassung von der Struktur der hierarchisch – im Episkopat – organisierten Kirche. Die neuen römischen Thesen päpstlicher Doktrin traten bei dieser Gelegenheit begreiflicherweise in den Hintergrund. Nur eine knappe Schlußbemerkung nannte als Aufgabe der Legaten, daß sie „den Verhandlungen beiwohnen sollten als ausführende Organe für das, was von uns früher beschlossen worden ist. Wir zweifeln nicht, daß Euere Heiligkeit dem zustimmen wird, da es, wie Ihr wißt, um der Sicherheit der ganzen Kirche willen verfügt worden ist." Nestorius und das gegen ihn ergangene Urteil der römischen Synode von 430 wurden nicht ausdrücklich genannt[33].

Die kurze Instruktion, die Cölestin den Legaten selbst mitgab, befahl ihnen, mit Kyrill enge Fühlung zu halten, seinen Ratschlägen zu folgen und die Autorität des apostolischen Stuhles zu wahren[34]. Im Grunde entsandte der Papst seine Legaten ins Ungewisse. Auch auf den wirklichen Verlauf der Dinge hatte er zunächst keinen Einfluß. Die äußerst geschickte, skrupellose Taktik Kyrills war es, die sich der Dinge im Orient bemächtigte, den Widerstand der kaiser-

[33] ACO I. II, 22–25. – Caspar I 406.
[34] ACO I. II, 25.

lichen Organe überspielte und schließlich das Konzil von Ephesus nach dem Willen des Alexandriners lenkte. Kyrill ging in Ephesus ähnlich vor, wie einst sein Oheim Theophilus gegen Johannes Chrysostomus. Er machte seinen Gegner von vorneherein zum Angeklagten einer eilig in Ephesus veranstalteten Eröffnungs-Sitzung (22. Juni 431), ohne die Ankunft des antiochenischen Episkopats und auch der päpstlichen Legaten abzuwarten, gegen den Protest des Nestorius, des kaiserlichen Kommissärs Candidianus und einer Gruppe von 68 Bischöfen. Kyrill führte den Vorsitz und bezeichnete sich zugleich als die Stelle des Erzbischofs der römischen Kirche Cölestin verwaltend[35]. In Wirklichkeit räumte Kyrill aber dieser „Stellvertretung" nur eine recht nebensächliche Bedeutung ein. Ihm ging es um die Bestätigung seiner eigenen Rechtgläubigkeit und um die Verketzerung des Nestorius, dessen Absetzung und Ausstoßung aus dem Episkopat. Dies konnte er von dieser ihm gefügigen Teilsynode unschwer erreichen. Nestorius hat über diese Sitzung, die einen deutlichen Vorgeschmack der berüchtigten „Räubersynode" von 449 geboten hat, schneidend scharf und zutreffend geurteilt: „Wer war Richter? Kyrill. Wer war Ankläger? Kyrill. Wer war Bischof von Rom? Kyrill. Kyrill war alles"[36].

Vier Tage nach der unheilvollen Sitzung des Kyrill traf Johannes von Antiochien mit seinen syrischen Bischöfen ein und berief eine Gegenversammlung, die nun Kyrill von Alexandrien und Memnon, den schwer belasteten Ortsbischof von Ephesus, absetzte. In dieser verfahrenen Situation verfügte Kaiser Theodosius II., daß alle bisher in Ephesus getroffenen Maßnahmen nichtig seien; er werde einen Beamten zur Untersuchung der Vorfälle schicken. Trotzdem trat die Konzilsmehrheit am 10. und 11. Juli wieder zusammen, nachdem Anfang Juli die Gesandten Papst Cölestins eingetroffen waren. Zusammen mit der beherrschenden Partei des Patriarchen Kyrill wußten die päpstlichen Gesandten mit geschickt verteilten Rollen die Gunst des Augenblicks zu nützen. Der Presbyter Philippus wies schon in seiner ersten Begrüßungsansprache darauf hin, daß Papst Cölestin durch sein Schreiben an Kyrill, das den Synodalen vorliege, über die Sache entschieden habe und jetzt einen zweiten

---

[35] „... Κυρίλλου Ἀλεξανδρείας, διέποντος καὶ τὸν τόπον τοῦ ἁγιωτάτου καὶ ὁσιωτάτου ἀρχιεπισκόπου τῆς Ῥωμαίων ἐκκλησίας Κελεστίνου ..." ACO I. I, 2, 3 f.

[36] Liber Heraclidis c. 195. Caspar I 408.

Brief zur Bekräftigung des katholischen Glaubens sende. Das erwähnte päpstliche Schreiben an das Konzil wurde nun zuerst lateinisch und anschließend in einer bereits mitgebrachten griechischen Übersetzung verlesen. Die Väter brachten darauf die Akklamationen aus: „Ein rechtes Urteil! Dem neuen Paulus Cölestin! Dem neuen Paulus Kyrill! Cölestin, dem Hüter des Glaubens, Cölestin, der einig ist mit der Synode! Cölestin sagt die ganze Synode Dank! Ein Cölestin, ein Kyrill, ein Glaube der Synode, ein Glaube der ganzen Welt!"

Diese Akklamationen, gewiß von Kyrill gesteuert, gingen deutlich auf die Gleichordnung Rom – Alexandrien. Die drei päpstlichen Legaten verstanden es sehr geschickt, der Versammlung alle Höflichkeit zu bezeugen und dabei die Debatte in römische Vorstellungen zu lenken. Als nach dem Austausch gegenseitiger Höflichkeiten eine günstige Stimmung geschaffen war, konnte der Presbyter Philippus einen Schritt weiter gehen: „Wir danken der heiligen und ehrwürdigen Synode, daß nach Verlesung des Schreibens unseres heiligen Papstes Ihr als heilige Glieder mit heiligen Stimmen euch dem heiligen Haupt auch durch euere heiligen Zurufe angeschlossen habt. Denn Euch ist nicht unbekannt, daß des ganzen Glaubens und aller Apostel Haupt der selige Apostel Petrus ist." Die päpstlichen Legaten forderten die Verlesung der bisher gefaßten Beschlüsse, der Presbyter Philippus mit der Begründung, „damit gemäß der Sentenz unseres Papstes und der gegenwärtigen Synode auch von unserer Seite im Einklang damit die Absetzung [des Nestorius] bekräftigt werde". Darauf erwiderte Bischof Theodor von Ancyra den Legaten: „Gott hat durch den hier vorgelegten Brief des frommen Bischofs Cölestin und euere Ankunft erwiesen, daß das Urteil der Synode richtig ist; denn Ihr habt den Eifer Cölestins für den Glauben dargelegt. Weil Ihr aber mit guten Gründen verlangt, aus den Akten selbst über die Absetzung des Nestorius unterrichtet zu werden, so sollt Ihr über den gerechten Urteilsspruch und den Eifer der heiligen Synode sowie über ihre Einmütigkeit im Glauben, die der heiligste Bischof Cölestin mit lauter Stimme preist, volle und sichere Kenntnis erhalten." Damit war der Vorrang der Synodalentscheidung gegenüber dem päpstlichen Spruch zum Ausdruck gebracht und das nach den Worten der Legaten entscheidende Gewicht des päpstlichen Spruches stillschweigend übergangen. Die drei

Gesandten waren diplomatisch genug, sich damit zu begnügen, daß sie ihre Auffassung über den seligen Apostel Petrus ohne offenen Widerspruch hatten vorbringen können und daß ihrem Verlangen nach Akteneinsicht stattgegeben wurde, da dies ja formell ihre nachträgliche Beteiligung an der Verurteilung des Nestorius einschloß.

In der Sitzung vom 11. Juli brachte der Presbyter Philippus die römischen Auffassungen ein weiteres Stück deutlicher zum Ausdruck: „Niemandem ist zweifelhaft, vielmehr allen Zeiten bekannt, daß der heiligste und seligste Petrus, der Erste und das Haupt der Apostel, Säule des Gaubens und Grundstein der katholischen Kirche, von unserem Herrn Jesu Christus ... die Schlüssel des Reichs und die Gewalt zu binden und zu lösen empfangen hat, er, der bis zum heutigen Tag und allezeit in seinen Nachfolgern lebt und richtet. Sein Nachfolger und Platzhalter nach der Ordnung, unser seligster Papst, Bischof Cölestin, hat uns als Ersatz für seine persönliche Anwesenheit zu dieser Synode gesandt, deren Zusammentritt die allerchristlichsten Kaiser befohlen haben, stets eingedenk des katholischen Glaubens und ihn schützend und die Lehre der Apostel, die sie von ihren Vätern und Ahnen überkommen haben, bewahrend." Philippus wiederholte dann die Einwände der Synode gegen Nestorius und erklärte: „Die Sentenz steht also fest nach dem Urteil aller Kirchen; denn die Bischöfe der östlichen und der westlichen Kirchen nehmen persönlich oder durch Legaten an dieser Synode teil." Die beiden bischöflichen Gesandten des Papstes, Arcadius und Proiectus, gaben ähnliche Erklärungen vor der Versammlung ab; beide erwähnten das Urteil des römischen Stuhles und das der Synode – in dieser Reihenfolge – nebeneinander. In seiner abschließenden Rede hob Kyrill wieder die ältere synodale Ordnung stärker hervor, doch ohne gegen die Sätze der römischen Sendboten Einspruch zu erheben: er sprach von den Erklärungen der römischen Gesandten als der Stellvertreter des apostolischen Stuhles, von der synodalen Gesamtheit der Bischöfe des Abendlandes und davon, daß sie dem Spruch der Synode gegen Nestorius beigetreten seien. Ferner ließ Kyrill die Versammlung beschließen, daß das Sessionsprotokoll vom 10./11. Juli dem Protokoll der Junisitzung beigefügt werden solle.

Die römischen Legaten nahmen auch an den Konzilssitzungen vom 16. und 17. Juli teil, in denen die Exkommunikation über die Antiochener ausgesprochen wurde, um damit die Sentenz der früheren Sitzung der Antiochener gegen Kyrill von Alexandrien und Memnon von Ephesus unschädlich zu machen und etwaigen Versuchen, den Nestorius wiedereinzusetzen, entgegenzuwirken.

Ein neuerlicher Versuch des Kaisers, die beiden feindlichen Parteien doch noch zur Einigung zu zwingen, schlug schließlich fehl; den päpstlichen Gesandten, vor allem dem äußerst geschickten Philippus, gelang es, das besondere Vertrauen des Kaisers zu gewinnen. Papst Cölestin hob in seinen vier Briefen, die am 15. März 432 auf Grund der neuesten Berichte in den Osten gingen, noch einmal mit überschwenglichen Worten seinen eigenen Anteil an der Niederwerfung des Nestorius hervor, den er mit Judas verglich. In seinem Schreiben an die Synodalen von Ephesus wollte er sich aber nicht ohne weiteres mit der Exkommunikation des Johannes von Antiochien identifizieren. Ohne das Haupt der Syrer mit Namen zu nennen, stellte er vorsichtig fest: „Was diejenigen betrifft, welche die gottlosen Ansichten des Nestorius zu teilen scheinen und gemeinsame Sache mit ihm gemacht haben, so beschließen wir, obwohl Euere Sentenz gegen sie vorliegt, doch selbst, was uns dünkt. Vieles ist in solchen Fällen zu berücksichtigen, und der apostolische Stuhl faßt es stets ins Auge.“ Als schließlich nach mühevollen Verhandlungen der Kirchenfriede mit den Antiochenern wiederhergestellt war, schrieb Patriarch Johannes von Antiochien in geradezu hymnischen Wendungen an den neuen Papst Sixtus III.: „Zum Heil der ganzen Welt hast Du, wie wir überzeugt sind, den apostolischen Stuhl bestiegen. Eine Leuchte werden nun die Kirchen Christi rings auf dem Erdenrund haben, eine Leuchte, die nicht nur das Abendland erhellt, sondern auch die äußersten Enden der Welt“[37].

Das Konzil von Ephesus hatte einen Fortschritt in der Christologie gebracht. Aber bald wurde klar, daß diese gewalttätige, bedrückende Versammlung die strittigen Fragen nicht wirklich und abschließend gelöst hatte, daß die vorhandenen Gegensätze nicht überbrückt waren, die Einheit der Kirche nicht gewonnen war.

---

[37] Verlauf und Quellenbelege bei Caspar I 408–417. – Vgl. W. de Vries, Die Struktur der Kirche gemäß dem Konzil von Ephesos (431), in: Annuarium Historiae Conciliorum 2 (1970) 22–55; ders., Orient et Occident, Paris 1974, 61–100.

Chalkedon 451[38]

Im 5. Jahrhundert treten Bemühungen der Päpste, die Kontrolle über alle Synoden zu erhalten, deutlicher hervor. Nicht darum geht es, daß ein Vorrang Roms bestritten würde. Der Kernpunkt liegt darin, wie die Päpste und ihre Umgebung den römischen Primat verstehen und zur Anwendung zu bringen suchen. Widerstand gegen päpstliche Ansprüche, die man als ungewohnt empfand, erhob sich in Ost und West. Als Julius I. (337–352) die Entscheidung der Synode von Tyrus (335) gegen Athanasius von Alexandrien und andere annulliert hatte[39], wurde dieser versuchte Eingriff von den Orientalen in Serdica (342 oder 343) abgelehnt[40]. Innocenz I. (401–417) sprach in einem Antwortschreiben an die Synode von Karthago, datiert vom 27. Januar 417[41], bereits davon, daß die Synode – im pelagianischen Streit – ihren Urteilsspruch zur Urteilsentscheidung (iudicium) nach Rom gebracht habe. Der Papst sprach in solchem Zusammenhang von „Ordnungen der Väter aus göttlichem, nicht aus menschlichem Ratschluß", durch welche die afrikanischen Synodalen „Angelegenheiten, sei es auch der abgetrenntesten und entlegensten Provinzen, nicht eher endgültig zu beenden erachteten, ehe sie nicht zur Kenntnis des römischen Stuhles gekommen wären, damit durch seine volle Autorität jeder rechte Urteilsspruch bekräftigt würde und von ihm die übrigen Kirchen – gleich wie aus ihrem Urbronn die gesamten Wässer vom reinen Quell her unverfälscht durch alle Lande dahinströmen – entnähmen, was sie selbst verfügten, wen sie von seinen Sünden abwüschen oder an wem, als mit untilgbarem Schmutz behaftet, die für die

---

[38] Ausgabe der Konzilsakten: ACO Teil 2: Concilium universale Chalcedonense, 6 Bde., Berlin 1933–1938. – COD 75–103. – Caspar I 462–564. – Das Konzil von Chalkedon. Geschichte und Gegenwart. Hrsg. v. A. Grillmeier u. H. Bacht, 3 Bde., Würzburg 1951–1954, Neudruck 41973. – P.-Th. Camelot, Ephesus und Chalcedon, Mainz 1963 (Geschichte der ökumenischen Konzilien II). – W. de Vries, Die Struktur der Kirche gemäß dem Konzil von Chalkedon (451), in: Orientalia Christiana Periodica 35 (1969) 63–122; ders., Orient et Occident, Paris 1974, 101–160. – W. H. C. Frend, The Rise of the Monophysite Movement, Cambridge 1972. – K. Baus, in: Handbuch der Kirchengeschichte II/1, 113–126.

[39] Migne PG 25, 287.

[40] Hilarius von Poitiers, Fragm. A IV 1. CSEL 65, 48, 9–67, 20.

[41] Augustini Ep. 181. CSEL 44, 701–714. – Caspar I 332 f.

Reinen bestimmte Welle vorübergehen solle". Innozenz I. behauptete, das referre ad sedem apostolicam entspreche alter Tradition und der kirchlichen Disziplin. Auch im Orient meldete Innocenz solch ungewohnte Forderungen an. Doch zur Durchsetzung dieser Doktrin auch nur im lateinischen Westen war noch ein weiter Weg. Noch im Mai 418 erneuerte die Synode der afrikanischen Bischöfe in Karthago den alten kirchenrechtlichen Grundsatz ihrer Kirche, daß „transmarine" Appellationen den Ausschluß aus der Kirchengemeinschaft nach sich ziehen sollten[42].

Das Ringen zwischen einer zum Absolutismus neigenden Auffassung vom Primat und einem kollegialen, durch die Synode repräsentierten Verständnis der höchsten Autorität in der Kirche tritt in den Vorgängen um das Konzil von Chalkedon deutlich in Erscheinung.

Nestorius hatte die beiden Naturen in Christus zu sehr getrennt. Demgegenüber vertrat nun der Archimandrit Eutyches, einer der schärfsten Gegner des abgesetzten Patriarchen, die Lehre: die menschliche Natur Christi sei ganz in der göttlichen aufgegangen; man könne also nur von *einer* Natur in Christus sprechen. Durch den Patriarchen Flavianus von Konstantinopel wurde Papst Leo I. (440–461) über die monophysitischen Irrtümer des Eutyches näher unterrichtet, auch über dessen Absetzung und Ausschließung aus der Kirchengemeinschaft. In dem berühmten Lehrschreiben an Flavianus, vom 13. Juni 449, entwickelte Leo die Lehre von den zwei Naturen in Christus, die sich nicht vermischten, von denen jede in Verbindung mit der anderen wirke, was ihr eigentümlich sei[43]. Trotzdem breitete sich der Streit weiter aus. Neuerdings wurde vor allem die östliche Kirche schwer erschüttert. Durch kaiserliche Gunst geschützt und mit Unterstützung des ihm befreundeten Patriarchen Dioskur von Alexandrien konnte Eutyches zunächst auf der von Kaiser Theodosius II. berufenen Reichssynode[44] zu Ephesus (449) triumphieren. Den Vorsitz auf dieser berüchtigten Versammlung führte auf kaiserliche Anordnung Dioskur von Alexandrien, hemmungslos ehrgeizig und rücksichtslos bis zur Brutalität, hierin unter-

[42] Caspar I 358.
[43] COD 77–82.
[44] ACO II. I, 1, 69.

stützt durch kaiserliches Militär und fanatische, schlagkräftige Mönchshaufen. Hier wurde der Monophysitismus für rechtgläubig erklärt; seine Gegner, allen voran Flavianus von Konstantinopel, wurden ihrer Ämter entsetzt. Die zur Synode entsandten päpstlichen Legaten wurden mit Mißachtung behandelt und sogar am Leben bedroht. Als Leo I. von einem seiner Gesandten, dem Diakon Hilarus, Kenntnis vom tumultuarischen Verlauf dieser Reichssynode erhalten hatte, charakterisierte er sie treffend als „Räubersynode" (latrocinium)[45].

Flavianus von Konstantinopel[46] und die gleichfalls hart betroffenen Theodoret von Cyrus[47] und Eusebius von Dorylaeum[48] appellierten an den Papst. Es ist offenkundig, daß diese Appellationen in der Form und in der Sache von den päpstlichen Legaten beeinflußt waren. „Es war der erste und einer der seltenen Augenblicke der Papstgeschichte, da der Oberhoheitsanspruch über die universale Kirche, also auch über die großen Stühle des Ostens, Wirklichkeit zu werden schien"[49]. Aber ein Primat, kraft dessen der römische Bischof allein die Beschlüsse einer Reichssynode umstoßen könnte, lag diesen östlichen Appellanten – wie den Rechtsauffassungen der Zeit – noch völlig fern; nach ihrer Ansicht konnte das Urteil einer Synode nur durch eine umfassende, größere Synode aufgehoben werden.

Leo I. griff die Anregung, ein neues Konzil zu veranlassen, sofort auf. Am 29. September 449 verwarf eine römische Synode die Beschlüsse von Ephesus. Der Papst wandte sich darauf in Briefen an den östlichen Kaiser Theodosius II., an dessen Schwester Pulcheria, an den Klerus und die dem Patriarchen Flavianus treuen Mönche in Konstantinopel. Er bat den Kaiser, die Beschlüsse von Ephesus zu annullieren, und Befehl zu geben „zur Abhaltung einer besonderen Synode in Italien, damit aller Streit ausgeschlossen oder geschlichtet werde und keine Abweichung oder Zweideutigkeit im Bereich des Glaubens sei. An dieser Synode sollen auch Bischöfe aller östlichen

---

[45] ACO II. IV, 51.
[46] ACO II. II, 1, 77–79.
[47] Ep. 113 (Sources Chrétiennes 111, 56–66).
[48] Neues Archiv 11 (1886) 364.
[49] Caspar I 491.

Provinzen teilnehmen“[50]. Der Papst bat im März 450 auch den Klerus und das Volk von Konstantinopel, seine Bitte um ein ökumenisches Konzil bei Kaiser Theodosius zu unterstützen[51]. Doch der Kaiser hüllte sich trotz nochmaliger Mahnung in Schweigen. Als ihm nun Papst Leo I. das Anliegen erneut, durch den westlichen Kaiser Valentinian III. und die kaiserlichen Damen, vortragen ließ, antwortete Theodosius II. schroff ablehnend, auf dem Reichskonzil in Ephesus sei das Recht nicht verletzt worden; zudem habe sich „der Patriarch Leo“ nicht in die Angelegenheiten des Ostens zu mischen[52]. Kaiser Theodosius II. dachte nicht daran, sein Reichskonzil preiszugeben. Die Wendung kam unvermutet. Am 28. Juli 450 starb der kinderlose Kaiser unerwartet an den Folgen eines Sturzes vom Pferd. Seine Schwester Pulcheria ergriff mit fester Hand die Zügel der Regierung und erhob den tüchtigen alten Offizier Marcian zum Mitregenten und Kaiser.

Der neue Kaiser fragte an, ob Leo bereit sei, zur Synode in den Osten zu kommen, wie es den kaiserlichen Wünschen entspräche; „wenn es aber beschwerlich fällt, daß Du hierher kommst, so wolle Deine Heiligkeit uns das durch einen eigenen Brief kundtun, damit an den ganzen Orient sowie an Thrazien und Illyricum unsere allerhöchsten Aufrufe ergehen, kraft deren an einem bestimmten Ort, wo es uns genehm ist, alle heiligen Bischöfe zusammenkommen sollen und beschließen, was dem Frieden der christlichen Religion und dem katholischen Glauben dient, wie es Deine Heiligkeit nach den kirchlichen Canones festgestellt hat“[53]. Patriarch Flavianus war bald nach seiner Absetzung auf dem Weg ins Exil gestorben. Sein Nachfolger Anatolius mußte unter dem Druck der neuen Machtverhältnisse in Konstantinopel den Dioscur preisgeben und sich auf den Boden des päpstlichen Lehrschreibens an Flavianus stellen[54].

Nun war dem Papst an einem Konzil nicht mehr gelegen, da sich die Lage im Osten zugunsten des wahren Glaubens gewandelt hatte. Am 9. Juni 451 schrieb Leo an Kaiser Marcian, er möge mit Rück-

---

50 ACO II. I, 1, 3 f.
51 ACO II. IV, 19–25.
52 Leonis Epp. 54, 56, 62–64.
53 Leonis Epp. 76, 77. ACO II. I, 1, 10; II. III, 1, 17–20.
54 Caspar I 504.

sicht auf die Kriegsunruhen das Konzil verschieben[55]. Doch Marcian hatte ein neues Reichskonzil auch im Namen des Mitkaisers Valentinian III. auf den 1. September 451 einberufen. Als Tagungsort bestimmte er zunächst Nicaea, später Chalkedon[56]. Dieses kaiserliche Recht ist in Ost und West unbestritten. Auch Papst Leo I. fügte sich notgedrungen und bestellte als römische Vertretung auf dem Konzil die bereits in Konstantinopel weilende Legation des Bischofs Lucentius und des Presbyters Basilius, dazu den römischen Presbyter Bonifatius und die Bischöfe Paschasinus von Lilybaeum und Julianus von Kios. Leo betonte, daß in dieser fünfköpfigen Vertretung seine „eigene Gegenwart als vorhanden zu erachten" sei. Für Bischof Paschasinus verlangte er den Vorsitz auf der Synode vice apostolica[57].

In seinem Begrüßungsschreiben an die Synode (26. Juni 451) schrieb der Papst: „Gutzuheißen ist der fromme Ratschluß des erlauchtesten Herrn, durch den er euch zur Vernichtung der Fallstricke des Teufels und zur Wiederherstellung des kirchlichen Friedens zusammenzurufen geruhte, unter Wahrung des Rechtes und der Ehre des seligsten Apostels Petrus, indem er auch uns durch seinen Brief dazu einlud, der ehrwürdigen Synode unsere Gegenwart zu schenken. Das gestattete freilich weder die Not der Zeit, noch irgendein alter Brauch; aber in den Brüdern . . ., die vom apostolischen Stuhl gesandt sind, möge Euere Brüderlichkeit mich als euerer Synode vorsitzend erachten. Meine Gegenwart ist nicht von euch geschieden, da ich in meinen Stellvertretern zugegen bin und schon längst in der Verkündigung des katholischen Glaubens nicht fehle. So könnt ihr denn nicht in Unwissenheit darüber sein, was nach alter Überlieferung unser Glaube sein soll, noch im Zweifel, was wir verlangen . . . Es darf nicht verteidigt werden, was nicht geglaubt werden darf, da nach den evangelischen Urkunden, den Stimmen der Propheten und der apostolischen Lehre sehr ausführlich und mit aller Deutlichkeit durch unseren Brief an Bischof Flavianus seligen Andenkens öffentlich verkündet worden ist, was über das Geheimnis der Menschwerdung unseres Herrn Jesus Christus das fromme und

---

55 Ep. 83. ACO II. IV, 42 f.

56 ACO II. I, 1, 29 f.

57 „. . . praedictum fratrem et coepiscopum meum uice mea synodo conuenit praesidere." Ep. 89. ACO II. IV, 47 f.

reine Bekenntnis ist“[58]. In der Auffassung Leos sollte das Konzil nur die praktische Ausführung der vom Papst bereits getroffenen Entscheidung liefern, vor allem die Wiedereinsetzung der in Ephesus 449 zu Unrecht abgesetzten Bischöfe.

Ähnliche Gedanken der römischen Doktrin von den Rechten des „apostolischen Stuhls“ enthielt ein letztes Schreiben an Kaiser Marcian vom 20. Juli[59]: „Auch nicht die mindeste Disputation irgendeiner Wiederaufnahme des Verfahrens!“ Mit der päpstlichen Brandmarkung als latrocinium[60] konnte das Reichskonzil von Ephesus 449 keinen Platz in der Reihe der anerkannten Ökumenischen Konzilien erhalten. An seine Stelle sollte als viertes Allgemeines Konzil das neue Reichskonzil von Chalkedon treten.

Am 8. Oktober 451 wurde das Reichskonzil in der Kirche der heiligen Euphemia zu Chalkedon eröffnet. Die Versammlung verlief keineswegs nach den Vorstellungen des Papstes. Die geschäftliche Leitung lag in den Händen von achtzehn hohen kaiserlichen Beamten, die in der Mitte des Kirchenschiffes Platz nahmen. An ihrer linken Seite saßen zuerst die römischen Gesandten, dann die Großbischöfe von Konstantinopel, Antiochien, Caesarea in Kappadozien, Ephesus mit den übrigen Bischöfen aus Oriens, Pontus, Asia, Thracia, rechts von den vorsitzenden kaiserlichen Beamten Dioscur von Alexandrien, Juvenalis von Jerusalem, der Bischof von Heraclea als Vertreter des Bischofs von Thessalonike und die übrigen Bischöfe aus Ägypten, Illyricum und Palästina. Mit etwa 350 Teilnehmern[61] war Chalkedon die bis dahin imposanteste Kirchenversammlung der alten Christenheit, wenn auch nur sechs Mitglieder den Westen vertraten. Der ökumenische Charakter war unbestritten[62].

Trotz der deutlichen Versuche der päpstlichen Legaten, die römischen Vorstellungen zur Geltung zu bringen, konnte keine Rede davon sein, daß die Versammlung den Glaubensstreit durch das Schreiben Leos I. an Flavianus, den sogenannten Tomus Leonis, als

---

[58] Ep. 93. ACO II. IV, 51 f. Caspar I 509 f.

[59] Ep. 94. ACO II. IV, 49 f.

[60] Ep. 95 (Brief an Pulcheria). ACO II. IV, 50 f.

[61] V. Laurent, Le nombre des Pères du Concile de Chalcédoine, in: Acad. Roumaine, Bull. section hist. 26 (Bukarest 1945) 33–46.

[62] Vgl. Caspar I 511 u. Hdb. der Kirchengeschichte II/1, 122. – M. Goemans, Chalkedon als „Allgemeines Konzil“, in: Grillmeier-Bacht, Das Konzil von Chalkedon I, 251–289.

erledigt betrachtete. Aus dem Ablauf tritt klar hervor, daß der Kaiser die Glaubensfrage als noch nicht entschieden ansah. Die Synode sollte sie sorgfältig untersuchen und den rechten Glauben in einer neuen Formel festlegen. Diese Auffassung machten sich schließlich die Konzilsväter zu eigen. Gemäß der Aufforderung der kaiserlichen Kommissare untersuchte die Versammlung auch, ob der Tomus Leonis mit den allgemein anerkannten Autoritäten des rechten Glaubens, vornehmlich den Konzilien von Nicaea (325) und Ephesus (431), übereinstimme. Auf Antrag wurden deshalb die Bekenntnisse von Nicaea und Ephesus, die Briefe Kyrills an Nestorius von Konstantinopel und Domnus von Antiochien in der Synode verlesen, endlich auch das Lehrschreiben Leos I. an Flavianus mit dem Anhang der testimonia patrum. Die Verlesung wurde von lauten Akklamationen begleitet: „Das ist der Glaube der Väter, der Apostel! Wir alle glauben so, die Orthodoxen glauben so! Anathem dem, der nicht so glaubt! Petrus hat durch Leo so gesprochen! Die Apostel haben so gelehrt! Fromm und wahr hat Leo gelehrt! Kyrill hat so gelehrt! Ewiges Gedenken Kyrill! Leo und Kyrill haben gleich gelehrt! Anathem dem, der nicht so lehrt! Warum ist das nicht in Ephesus [449] verlesen worden? Das hat Dioskur verheimlicht“[63]!

Dies konnte als höchster Triumph der Lehrautorität Papst Leos I. gelten. „Petrus hat durch Leo gesprochen!“ Und dieser Ruf erscholl aus dem Mund orientalischer Bischöfe. Die Formel wurde – isoliert betrachtet – zum gängigsten Topos katholischer Dogmatik und Apologetik, wenn es darum ging, historische „Beweise“ der päpstlichen Lehrautorität zu erbringen. Bei genauem Studium der Quellen verweist jedoch das Konzil von Chalkedon zur Begründung der Annahme des Tomus Leonis nirgends auf eine etwaige unbedingte Lehrautorität des Papstes. Die Verhandlungen in Chalkedon wurden hart geführt und verliefen auf weite Strecken kaum weniger lärmend als zwei Jahre zuvor auf der „Räubersynode“ von Ephesus. Die kaiserlichen Kommissare sahen sich zum Eingreifen veranlaßt und verboten das „pöbelhafte Geschrei“, das sich für Bischöfe nicht gezieme[64]. Ein Teil der Bischöfe nahm den Tomus Leonis offensicht-

[63] Mansi VI 972.
[64] Mansi VI 592.

lich nur unter massivem kaiserlichen Druck an. Und die vielzitierte Akklamation „Petrus hat durch Leo gesprochen" bedeutet im Zusammenhang nur: Die Lehre Leos stimmt wirklich und tatsächlich mit dem Glauben des Apostels Petrus überein. Diese Tatsache wird vom Konzil nach sorgfältiger Prüfung anerkannt.

Nach langem Verhandeln und Streiten bestellte das Konzil schließlich dreiundzwanzig Bischöfe, die schon nach drei Tagen das vom Kaiser geforderte neue Glaubensbekenntnis vorlegen konnten. Auch die römischen Legaten stimmten der Formel zu, weil die „Epistula dogmatica" Leos darin gebührend berücksichtigt worden sei[65]. In der sechsten Sitzung, am 25. Oktober 451, konnte das Konzil in Anwesenheit des Kaiserpaares das Glaubensdekret[66] feierlich verkünden.

Ähnlich wie in der Glaubensfrage wurde in Chalkedon auch die Entscheidung Papst Leos in Sachen der Kirchendisziplin nicht als endgültig anerkannt. Von Leo ausgeschlossene Bischöfe nahmen an der Versammlung teil. Der Fall der Bischöfe Theodoret von Cyrus und Ibas von Edessa wurde von der Synode erneut aufgegriffen und entschieden, ohne viel auf die Hinweise der päpstlichen Legaten zu achten, daß Leo I. die Dekrete von Ephesus bereits für nichtig erklärt habe[67].

Zu einem ernsten Konflikt zwischen den östlichen Bischöfen und den päpstlichen Legaten kam es, als gegen Ende des Konzils noch eine Reihe von Canones[68] beschlossen wurde. In den Canones 9, 17 und 28 wurde die seit 381 erheblich erweiterte Suprematie des Patriarchen von Konstantinopel kodifiziert. Der Streit entzündete sich am Canon 28, der in der Sitzung vom 31. Oktober verabschiedet wurde und die Unterschrift von etwa 200 Bischöfen trug; die päpstlichen Legaten blieben dieser Sitzung fern und legten in der Schlußsitzung des folgenden Tages Protest ein. Canon 28 erweiterte den Canon 3 des Konzils von Konstantinopel 381 und lautet: „Da wir den Satzungen der heiligen Väter überall folgen und den vor kurzem verlesenen Canon der hundertfünfzig ehrwürdigsten Bischöfe [= Canon 3 von Konstantinopel 381] kennen, so haben

---

[65] ACO II. I, 2, 123–130.
[66] ACO II. I, 2, 126–130. – COD 83–87.
[67] ACO II. I, 3, 7–11.
[68] COD 87–103.

auch wir, was die Vorrechte der heiligen Kirche von Konstantinopel betrifft, das Neue Rom, das gleiche beschlossen. Mit Recht haben die Väter dem Stuhl der alten Roma, weil sie die Kaiserstadt ist, die Ehrenrechte überlassen, und durch die gleiche Rücksicht bewogen haben die hundertfünfzig Bischöfe die gleichen Ehrenrechte dem heiligen Stuhl von Neu-Rom zuerkannt in der wohlbegründeten Meinung, daß die Stadt, die durch das Kaisertum und den Senat geehrt ist und die gleichen Ehrenrechte wie die alte Kaiserstadt Rom genießt, auch in kirchlicher Hinsicht wie jene erhöht werden muß, da sie den zweiten Rang nach jener Stadt einnimmt. Und [wir beschließen], daß aus den Diözesen Pontus, Asia und Thracia allein die Metropoliten, in den von Barbaren besetzten Gebieten der genannten Diözesen aber auch die Bischöfe vom heiligen Stuhl der konstantinopolitanischen Kirche geweiht werden müssen, während natürlich jeder Metropolit in den genannten Diözesen in Gemeinschaft mit den Provinzialbischöfen die Bischöfe der Provinz weiht, wie es in den heiligen Canones verordnet ist ...“[69]. Canon 9[70] und 17[71] machten den Bischof von Konstantinopel neben dem jeweiligen Obermetropoliten (Exarchen) der Diözese nach Wahl der streitenden Parteien zur Gerichtsinstanz in Prozeßsachen gegen einen Metropoliten, und Canon 17 bestimmte auch noch, ganz im Sinn des herkömmlichen Reichskirchenrechts, daß bei Neugründung von Städten die kirchliche Ordnung der staatsbürgerlichen folgen sollte. Diesen Grundsatz hatte schon Papst Innocenz I.[72] ausdrücklich verworfen.

Als Canon 28 in der Sitzung vom 1. November verlesen wurde, suchte der päpstliche Legat Lucentius zunächst mit der Behauptung zu entgegnen, man habe am Vortag die Bischöfe überlistet und vergewaltigt. Aber es scholl ihm kräftig und vielstimmig entgegen: „Niemand ist gezwungen worden.“ Bei aller Verehrung für den Apostel Petrus und seinen Nachfolger war offenkundig im Bewußtsein der Bischöfe der Gedanke fest verankert, daß Rom auch kirchlich den ersten Rang besitze, weil es eben die große alte Kaiserstadt und caput orbis sei. Leo I. hatte die römische Petrusdoktrin beträchtlich über die Auffassungen Innocenz' I. und Bonifatius' I.

[69] COD 99 f.
[70] COD 91.
[71] COD 95.
[72] Ep. 24. Jaffé-K. 310.

hinaus entwickelt: Nicht mehr um die Rangordnung Roms innerhalb der „Petrusstühle“ und anderen Großkirchen ging es ihm; vielmehr besitzt der eine Stuhl Petri in Rom nach göttlichem Ratschluß von der Gründung der Kirche durch Christus her die Oberhoheit über alle Kirchen. Seine Legaten in Chalkedon führten unter ihren Akten einen lateinischen Text der nicaenischen Canones mit. Hier wird dem ursprünglichen Wortlaut ein Satz vorangestellt, der die römische Petrusdoktrin unmißverständlich ausdrückt: „Die römische Kirche hat immer den Primat gehabt.“ Im Streit um den Canon 28 forderten die kaiserlichen Kommissare die beiden Parteien auf, ihre urkundlichen Beweisstücke vorzulegen. Der Legat Paschasinus verlas darauf den Canon 6 von Nicaea mit dem in Rom vorangestellten Satz. Die orientalischen Bischöfe beschränkten sich in ihrer Erwiderung darauf, die Canones 1 bis 3 des Konzils von Konstantinopel 381 vorzulesen.

Die kaiserlichen Kommissare faßten schließlich das Ergebnis der Aussprache zusammen: das erste Recht und der vorzüglichste Ehrenrang sei dem Erzbischof des alten Rom zu wahren; aber auch der Erzbischof von Neu-Rom solle die nämlichen Ehrenrechte genießen und das Recht haben, die Metropoliten in den Diözesen Asia, Pontus und Thracia zu weihen. Das wurde durch Akklamation beschlossen. Die päpstlichen Legaten beantragten – vergeblich – die Annullierung, „wenn nicht, so möge unser Einspruch in die Akten eingetragen werden, daß wir wissen, was wir dem apostolischen Papst der universalen Kirche zu berichten haben, damit er über die Beleidigung seines eigenen Stuhles oder die Umstürzung der Canones seinen Urteilsspruch fällen könne“. Das Konzil von Chalkedon hatte mit einem Triumph der Römer begonnen und endete nun in schrillem Mißklang. Der Canon 28 sollte in den weiteren Beziehungen zwischen dem Alten und Neuen Rom eine unheilvolle Rolle spielen[73].

Die am Konzil von Chalkedon unmittelbar Beteiligten – der Kaiser, die Konzilsmehrheit, der Papst – mochten durch die Glaubensformel dieser Versammlung den wahren Glauben gesichert und die schwer gefährdete kirchliche Einheit wiedergewonnen wähnen. Der schöne Traum, den die feierliche Schlußsitzung nährte, sollte

---

[73] ACO II 1, 3, 87–99. – Caspar I 519–525.

bald zerrinnen. Nach den Großkirchen von Konstantinopel und Antiochien war nun auch Alexandrien tief gedemütigt worden. Um die rechte Auslegung der Glaubensformel von Chalkedon entbrannte bald heftigster Streit, und am Ende stand die Lostrennung der ägyptischen und syrischen Kirche.

Nach der Aufwertung des Konstantinopler Konzils von 381 durch das Konzil von Chalkedon bildeten „die vier heiligen Synoden" (Nicaea 325, Konstantinopel 381, Ephesus 431, Chalkedon 451) im Zeitalter Kaiser Justinians I. (527–565) bereits eine feste Größe; ihre Festlegung der Glaubenslehre wurde wie die Autorität der Heiligen Schrift geachtet. Papst Gregor I. (590–604) gebraucht eine ähnliche Formulierung, wenn er „die vier Konzilien" so annehmen und verehren will wie die vier kanonischen Evangelien[74]. Der lange Prozeß einer allmählichen Anerkennung der Ökumenizität des Konzils von 381 ist ein gutes Beispiel für den tatsächlichen Ablauf kirchlich höchst belangvoller Entwicklungen in der Geschichte.

Konstantinopel 553

Von den acht Ökumenischen Konzilien des ersten christlichen Jahrtausends sind die ersten vier die wichtigsten; die weiteren vier bieten in ihrem Ablauf im wesentlichen das gleiche Bild.

Die hundert Jahre nach Chalkedon sind angefüllt mit immer neuen, schier verzweifelten Versuchen der oströmischen Kaiser, die religiöse Einheit wiederherzustellen und damit auch den politischen Zusammenhalt des schwer gefährdeten Reiches – der Westen war bereits weithin verloren – zu retten. Aber des Monophysitismus in Ägypten und in den angrenzenden Gebieten wurden sie nicht mehr Herr. Nur in diesen Bemühungen ist das Reichskonzil von Konstantinopel im Mai und Juni 553[75] zu verstehen.

---

[74] MG. Ep. I 24 p. 36.

[75] COD 105–122. – Mansi IX 171–658. – ACO IV. Concilium universale Constantinopolitanum, ed. J. Straub, Berlin 1971. – E. Schwartz, Drei dogmatische Schriften Justinians, in: Abhandlungen der Bayer. Akad. d. Wiss., Phil.-hist. Kl. NF 18 (München 1939). – Hefele-Leclercq III 1, 1–132. – Caspar II 193–305. – W. de Vries, Das zweite Konzil von Konstantinopel (553) und das Lehramt von Papst und Kirche, in: Orientalia Christiana Periodica 38 (1972)

Die Versammlung stand von Anfang bis Ende völlig unter dem Einfluß Kaiser Justinians I. Dieser kraftvolle Herrscher wurde in seiner langen Regierung (527–565) zum „Wiederhersteller des Reiches“. Seine Gemahlin Theodora neigte insgeheim den Monophysiten zu. Um auch den Westen zu größerem Entgegenkommen zu veranlassen, brachte sie den ehrgeizigen, zwielichtigen Vigilius auf den römischen Bischofsstuhl, da er als Apokrisiar des Papstes am Kaiserhof sich sehr geschmeidig gezeigt und auch zweifelhafte Zusagen gemacht hatte. Doch als Papst bekannte sich Vigilius (537 bis 555)[76] schließlich klar zum Glauben von Chalkedon. In dieser Zeit wurde der Osten durch den wiederaufflammenden Streit um die Rechtgläubigkeit des Origenes[77] zusätzlich verwirrt. Den Gegnern des Origenes gelang es, ein Edikt Justinians zu erwirken, das eine Reihe von Sätzen des Origenes und seine Person als häretisch verurteilte. Auch Papst Vigilius stimmte mit dem Reichsepiskopat dieser Verdammung des vor dreihundert Jahren verstorbenen großen Theologen zu. Um den theologisch leidenschaftlich interessierten Kaiser auf ein anderes Gebiet zu lenken, veranlaßten einflußreiche Kreise ein neues kaiserliches Glaubensedikt (543). Sie stellten dem Kaiser vor, daß die Monophysiten leicht zu gewinnen seien, wenn er die Häupter der antiochenischen Schule und ihre Theologie verurteile: die Person und die Schriften des Theodor von Mopsuestia, die gegen Kyrill von Alexandrien gerichteten Schriften des Theodoret von Cyrus und einen Brief des Bischofs Ibas von Edessa. Die kaiserliche Verurteilung dieser sogenannten „Drei Kapitel“ und ihrer Verteidiger stieß vor allem im Westen auf erheblichen Widerstand, da die verurteilten Bischöfe längst im Frieden mit der Kirche verstorben waren. Zudem hatte das Konzil von Chalkedon die Bischöfe Theodoret und Ibas als rechtgläubig anerkannt und wieder in ihr Amt eingesetzt.

Um die Zustimmung des Westens zu erzwingen, wurde Papst Vigilius auf kaiserlichen Befehl gewaltsam nach Konstantinopel ge-

---

331–366; ders., Orient et Occident, Paris 1974, 161–194. – H.-G. Beck, in: Handbuch der Kirchengeschichte II/2 (1975) 30–37.

[76] Caspar II 234–286. – Haller I² 265–279. – LThK X² 787 f. – E. Schwartz, Vigiliusbriefe. Sitzungsberichte der Bayer. Akademie d. Wiss., Phil.-hist. Abt., München 1940, Heft 2.

[77] F. Diekamp, Die origenistischen Streitigkeiten im sechsten Jahrhundert und das fünfte allgemeine Concil, Münster 1899.

bracht. Nach langem Zögern verstand er sich am Ostersamstag 548 zu der vom Kaiser geforderten Verurteilung der Drei Kapitel im sogenannten „Judicatum“. Nachdrücklich betonte er freilich die Aufrechterhaltung der Autorität der vier Allgemeinen Konzilien, besonders des Chalcedonense.

Im Westen rief die schwächliche Haltung des Vigilius empörten Widerspruch hervor. Die Bischöfe Nordafrikas hoben sogar die Kirchengemeinschaft mit ihm auf – auch ein sprechendes Zeichen, wie eine bedeutende Teilkirche selbst im lateinischen Westen den päpstlichen Primat im Ernstfall verstand. Als sich Vigilius allmählich zu einer festeren Haltung gegen die kaiserliche Kirchenpolitik aufraffte, befahl Justinian seine Verhaftung, lenkte aber bald wieder ein wenig ein.

Zur Beilegung der Wirren ließ der Kaiser am 5. Mai 553 ein Reichskonzil in Konstantinopel eröffnen. Hier wollte er das Ziel seiner Kirchenpolitik endlich verwirklichen: die Wiederherstellung der religiösen Einheit im Reich, um damit auch die politische Einheit zu festigen. Als geeignete Mittel erschienen ihm die Beilegung der origenistischen Streitigkeiten und erneut die Verurteilung der Drei Kapitel. Unter dem Vorsitz des Patriarchen Eutychius von Konstantinopel und im Beisein der Patriarchen Apollinaris von Alexandrien und Domninus von Antiochien sowie Vertretern des Patriarchen Eustochius von Jerusalem waren 166 Metropoliten und Bischöfe, von denen nur ein Dutzend das Abendland vertrat[78], im Secretarium der Sophienkirche versammelt.

In der ersten Sitzung wurde ein kaiserliches Schreiben verlesen und zu den Akten genommen. Darin war die kaiserliche Auffassung der Reichskonzilien in einer Rückschau von Nicaea bis Chalkedon entwickelt. Die Drei Kapitel ständen in Widerspruch zu Chalkedon; diese Irrlehre solle Gegenstand der Konzilsverhandlungen sein, und auch Vigilius habe in seinem Judicatum 548 die Drei Kapitel verworfen. „Jetzt aber lehnt Vigilius im Widerspruch zu seiner eigenen Willensäußerung eine Zusammenkunft mit allen, wie es geplant war, ab. Er [will] vielmehr, daß nur die drei Patriarchen je mit einem anderen Bischof die Sache in kontradiktorischem Verfahren [mit ihm] verhandeln sollen. Er verweist darauf, daß er selbst nur

---

[78] E. Chrysos, Die Bischofslisten des V. ökumenischen Konzils (553), Bonn 1966.

drei [Bischöfe] zur Verfügung habe, während doch viele abendländischen Bischöfe bei ihm sind. Wir aber ... haben ihm mehrfach durch unsere Beamten und durch einige [Bischöfe] aufgetragen, daß er mit allen zusammenkomme oder daß ein jeder Patriarch samt fünf oder drei Bischöfen mit ihm [Vigilius] und seinen Bischöfen zusammenkomme oder, wenn ihm das nicht genehm sei, sondern er in einem kontradiktorischen Verfahren die Sache behandeln wolle, daß Urteiler bestellt würden nach der Gewohnheit der Synoden und unserer Vorgänger, welche über die Argumente beider Parteien zu diskutieren hätten, weil es unmöglich ist, daß dieselben Männer kontradiktorisch verhandeln und zugleich entscheiden. Da er aber auf keinen Vorschlag eingehen wollte, haben wir die gleiche schriftliche Aufforderung an ihn wie an euch und die anderen Patriarchen gerichtet, daß diese Kapitel von allen als gottlos verdammt werden sollen, wer aber meine, sie seien recht, diese seine Willensmeinung offen darlege"[79].

In der Entwicklung eines Jahrhunderts, seit Chalkedon, hatte sich der Unterschied zwischen der reichskirchlichen und päpstlichen Synodaltheorie zu einem Abgrund entwickelt. Bei aller Besorgtheit um den Vorrang des römischen Stuhles hatten die Päpste doch grundsätzlich an der Parität der abendländischen und orientalischen Kirche festgehalten. Nun zielte die Reichskirchenpolitik Justinians offen auf eine Parität der fünf Patriarchensitze – Rom, Konstantinopel, Alexandrien, Antiochien, Jerusalem. Der Papst sollte als Patriarch des Westens nur ein Fünftel der Gesamtstimmen in Anspruch nehmen dürfen und sich, wie die östlichen Patriarchen, den Regeln eines Schiedsgerichtes beugen.

Die Synodalen stellten in dieser ersten Sitzung fest, daß sie berechtigt seien, auch ohne Vigilius in die Verhandlungen einzutreten. Dennoch beschlossen sie, den Papst durch eine förmliche Abordnung zur Teilnahme am Konzil aufzufordern, ehe sie sich vertagten. Zum erstenmal in der Geschichte ergab sich die eigentümliche Situation, daß ein Papst am Tagungsort des Reichskonzils anwesend war und nun die Teilnahme verweigerte. Die Verhandlungen gestalteten sich ungemein schwierig. Schon bisher hatten sich die Ökumenischen Konzilien als besondere Gefahrenzonen für die nach römischer

---

[79] Mansi IX 178–186. – Caspar II 271 f.

Petrusdoktrin orientierte päpstliche Politik erwiesen. Weder das altsynodale Selbstverständnis, daß strittige Kirchensachen kollegial auf einer Synode zu erledigen seien, noch die entstandene Praxis der kaiserlichen Reichskirchenhoheit deckten sich mit der römischen Doktrin des apostolischen Stuhles. Auf dem zweiten Reichskonzil von Konstantinopel ergab sich dieses Bild: „Der Reichsepiskopat des Ostens, der kaiserlichen Kirchenleitung völlig ergeben, spielte die altsynodale Ideologie der im Heiligen Geist einigen una ecclesia, die eine westliche und eine östliche Kirche nicht kenne, als Trumpf gegen einen Papst aus, der sich völlig in die Praktiken und Taktiken einer hinter den Kulissen arbeitenden Synodalregie nach kaiserlichem Vorbilde, das dem Nachfolger Petri wenig anstand, verstrickt hatte“[80].

Während die Verhandlungen weiterliefen, brachte Papst Vigilius am 14. Mai 553 ein umfangreiches Aktenstück heraus, das Constitutum de tribus capitulis[81]. Es war wohl vom römischen Diakon Pelagius verfaßt und trug die Unterschrift von neun italischen Bischöfen, drei römischen Diakonen und einigen anderen Bischöfen. Das Constitutum versuchte in einem wenig überzeugenden Kompromiß die Eigenständigkeit des Papstes in dem Streit um die Rechtgläubigkeit der Drei Kapitel zu retten. Der Papst suchte, wie einst Liberius im Streit um Athanasius, nachträglich eine Folgerichtigkeit in sein schwankendes Verhalten hineinzulegen. In der siebten Konzilssitzung (26. Mai) nahm die Versammlung die kaiserliche Abweisung des päpstlichen Constitutum entgegen. Durch die Enthüllung eidlicher geheimer Zusagen des Papstes an den Kaiser wurde Vigilius in der Sitzung öffentlich bloßgestellt und moralisch gerichtet. Der Kaiser brach darin sein gegebenes Versprechen der Geheimhaltung, aber der Papst war vorher bereits in der gleichen Sache zweimal wortbrüchig geworden. Das Constitutum des Vigilius wurde amtlich als nicht existent angesehen, da es nicht offiziell entgegengenommen war. In dem kaiserlichen Schreiben, das den Papst vor der Synode als eidbrüchig hinstellte, hieß es: „Er ist in Widerspruch zu seiner Willensäußerung getreten und verteidigt das, was die Anhänger des Nestorius und Theodor meinen. Außerdem hat er

---

80 Caspar II 274.
81 Collectio Avellana n. 83, 230–320.

sich selbst außerhalb der katholischen Kirche gestellt, indem er die gottlosen drei Kapitel verteidigt und sich von Euerer Gemeinschaft scheidet. Da er solches getan hat, haben wir das Urteil gefällt, daß sein Name als eines der Christenheit Fremden in den Diptychen nicht mehr verlesen werde ... Aber die Einheit mit dem apostolischen Stuhl bewahren auch wir, und sicherlich werdet auch Ihr sie bewahren. Denn weder des Vigilius noch eines anderen Wandlung zum Bösen vermag dem Frieden der Kirche zu schaden"[82]. In seinem ungezügelten Ehrgeiz hatte sich Vigilius im Frühjahr 537 gegen den vom kaiserlichen Feldherrn Belisar abgesetzten und verbannten Papst Silverius zum römischen Bischof weihen lassen. Nun stand ihm nach jahrelanger Demütigung das bittere Schicksal seines Vorgängers bevor.

Unter solchen Gegebenheiten faßte das Konzil auf seiner letzten Sitzung (2. Juni 553) seinen endgültigen Beschluß. Ein bereits fertiger Entwurf der Schlußsentenz wurde den Teilnehmern vorgelegt. Der Text[83] gab zunächst einen Überblick über den bisherigen Verlauf des Drei-Kapitel-Streites, wies hin auf die Anwesenheit des Vigilius in Konstantinopel und seine anfänglich mehrfach bekundete Bereitschaft, an gemeinsamen Verhandlungen teilzunehmen. Dem kaiserlichen Befehl entsprechend, den Papst aus den Diptychen zu streichen, wurde Vigilius nicht mit seinem offiziellen Titel genannt; doch vermied es die Versammlung, gegen ihn selbst Stellung zu nehmen. Man beschränkte sich darauf, ihm vorzuhalten, daß die Berechtigung zu synodaler Behandlung der Streitfrage durch das Vorbild der Apostel und den Brauch der früheren Reichssynoden gegeben sei. Über den päpstlichen Widerspruch im Constitutum ging das Konzil stillschweigend hinweg und verwarf seinerseits die Drei Kapitel. Das dogmatische Ergebnis wurde in vierzehn Anathematismen[84] zusammengefaßt, die zum großen Teil wörtlich mit dem Glaubensedikt Justinians von 552 (Homologia pisteos) übereinstimmten. Die Synode bekannte sich zwar ausdrücklich zum Chalcedonense, interpretierte es aber völlig im Sinn Kyrills und zeigte sich so ganz den kaiserlichen Wünschen gefügig. Das Lehrschreiben Leos I. an Flavianus wurde nicht erwähnt. Abschließend verurteilte

[82] Mansi IX 367.
[83] COD 107–113.
[84] COD 114–122.

die Synode summarisch alle christologischen Irrlehrer der vier ersten Ökumenischen Konzilien. Angefügt wurden Anathematismen gegen Origenes, Theodor von Mopsuestia, Theodoret von Cyrus und gegen den „angeblichen" Brief des Ibas von Edessa.

Der Kaiser bestätigte die Konzilsbeschlüsse in der herkömmlichen Form und sandte sie in die Provinzen des Reiches. Im Osten erhob sich kaum Widerstand, obwohl die Gewinnung der Monophysiten schließlich nicht gelang. Vereinzelter Widerstand im lateinischen Westen wurde vom Kaiser mit Härte zu brechen versucht. Durch die ganzen Ereignisse zermürbt, schwankend und verängstigt, änderte Vigilius noch einmal seine Haltung. Am 8. Dezember 553[85] und noch einmal mit ausführlicher Begründung am 23. Februar 554[86] stellte er sich nachträglich auf den Standpunkt der Synode von Konstantinopel und verdammte die Drei Kapitel. Im ersten Schreiben, das an den Patriarchen Eutychius von Konstantinopel gerichtet war, bekannte er, daß der böse Feind ihn und die Seinen in Konstantinopel zu Zwietracht mit den im Glauben ihm vereinten Brüdern verführt habe. Vollends gab er die römische Doktrin preis, wonach ein päpstliches Glaubensurteil nicht retraktiert werden dürfe, als er sich auf den großen Augustinus berief, der sich in seinen Retractationes ebenfalls nicht gescheut habe, Irrtümer einzugestehen und zu verbessern. Der charaktervolle Diakon Pelagius, der im Vorjahr für den Papst das Constitutum verfaßt hatte, sagte sich jetzt mit einem anderen Diakon von Vigilius los, wurde deshalb vom Papst mit der Exkommunikation bedroht und vom Kaiser in ein Kloster verwiesen. In der Klosterhaft verfaßte Pelagius ein wütendes Schreiben[87] gegen den schwankenden, käuflichen Vigilius, der Papst Leo I. verraten habe und seine eigenen Sentenzen übertrete.

Durch sein würdeloses Verhalten hatte sich Vigilius die cathedra Petri erhalten können. Nun durfte er nach Rom zurückkehren, erlag aber bei der Überfahrt in Syrakus am 7. Juni 555 einem alten Steinleiden. Nur als Leiche kehrte Vigilius in seine Bischofsstadt zurück, die ihn vor einem Jahrzehnt mit Flüchen verabschiedet hatte. Zum Nachfolger ließ Kaiser Justinian in einem geschickten diplomatischen

---

[85] Mansi IX 419 f.

[86] Mansi IX 457–488.

[87] Pelagii in defensionem trium capitulorum libri sex, ed. R. Devreesse: Studi e Testi 57, Rom 1932.

Zug den zuletzt inhaftierten römischen Diakon Pelagius erheben. Wohl die Aussicht auf die päpstliche Würde bewog nun auch Pelagius, seine bisherige Haltung zu überprüfen. Ähnlich wie Papst Vigilius kam auch Pelagius I. (556—561)[88] zur Verurteilung der Drei Kapitel und zur Anerkennung der Reichssynode von Konstantinopel als Ökumenischen Konzils. Erst nach langem Zögern schloß sich das Abendland dieser Haltung der Päpste Vigilius und Pelagius I. an. In weiten Kreisen des Abendlandes erhoben sich Zweifel an ihrer Rechtgläubigkeit. Die Kirchen von Mailand, Ravenna und verschiedene in Afrika trennten sich im Drei-Kapitel-Streit längere Zeit vom römischen Stuhl. Der Patriarch von Aquileja-Grado gab erst am Beginn des 7. Jahrhunderts das Schisma auf. Der Streit um die Drei Kapitel hat der kaiserlichen Autorität im Westen schwer geschadet, noch mehr dem Ansehen des Papsttums.

Konstantinopel 680/81

Trotz aller Bemühungen war es bisher nicht gelungen, mit der Glaubensformel von Chalkedon die christologischen Spannungen im Orient zu lösen. Vor allem in Ägypten, aber auch in Palästina und im vormals nestorianisch gesinnten Syrien, behauptete sich eine starke Opposition zum Bekenntnis der Hauptstadt Konstantinopel. Darin verband sich konservatives Festhalten am Hergebrachten mit nationalem Unmut gegen die religiös-politische Übermacht des byzantinischen Zentralismus. Der Einbruch der Perser in die östlichen Reichsprovinzen erhöhte die Gefahr für den Bestand des Reiches. Dem militärischen Geschick des Kaisers Heraklius (610 bis 641) gelang es seit 622, die Perser wieder zurückzuwerfen. Aber mit der Rückeroberung war das Problem des tief eingewurzelten Monophysitismus nicht gelöst. Man versteht, daß sich die Frage der religiösen Einheit für den Kaiser — aus politischer und religiöser Verantwortung für Reich und Reichskirche — erneut eindringlich gestellt hat. Wieder begann die lange, sehr ernste Bemühung um eine vermittelnde Glaubensformel. Patriarch Sergius von Konstantinopel (610—638) spielte in dieser Friedensvermittlung eine bedeu-

---

[88] G. Schwaiger: LThK VIII² 249 f.

tende Rolle, wobei er bewußt auf Kyrill von Alexandrien zurückgriff, den Vorkämpfer von Ephesus 431[89].

Sergius schlug die Formel vor, daß der aus zwei Naturen bestehende Gottmensch alles mit *einer* gottmenschlichen Energie gewirkt habe. Kaiser Heraklius billigte diese Formel und verbot, von zwei Wirkungsweisen in Christus zu sprechen. Solche Gedanken hatte schon Pseudo-Dionysius Areopagita vorgetragen, den man für den in der Apostelgeschichte erwähnten Paulusschüler hielt und deshalb hochschätzte. Nach der Rückeroberung Ägyptens gelang es sogar dem vom Kaiser eingesetzten Patriarchen Cyrus von Alexandrien, eine Gruppe von Monophysiten für die Einheit zu gewinnen. Seine Formel lautete: In Christus gibt es nur *eine* gottmenschliche Wirklichkeit. Die Wiedergewinnung der Glaubenseinheit im ganzen Reich schien in greifbare Nähe gerückt, da auch in Syrien und Armenien mit der Kompromißformel gute Erfolge erzielt werden konnten. Gleichzeitig aber erhob sich Widerspruch, vor allem von dem gelehrten Mönch Sophronius. Er wies darauf hin, daß die Annahme nur einer Wirkungsweise auch zur monophysitischen und apollinaristischen Annahme „nur einer Natur in Christus" dränge. Patriarch Sergius, von Sophronius auf das Bedenkliche der Lehre von nur einer Energie aufmerksam gemacht, suchte durch die Zusage zu beschwichtigen, es solle in Zukunft weder von einer noch von zwei Energien gesprochen werden, sondern vom „einen wirkenden Christus". Als Sophronius im Jahr 634 den Patriarchenstuhl von Jerusalem bestieg, legte er in seiner Synodika (Inthronisationsanzeige) erneut die Lehre von der doppelten Wirkungsweise Christi dar. Das gab dem bedenklich gewordenen Patriarchen Sergius Veranlassung, in einem Schreiben an Papst Honorius I. (625–638)[90]

[89] W. Elert, Der Ausgang der altchristlichen Christologie, Berlin 1957. – J. L. van Dieten, Geschichte der Patriarchen von Sergius I. bis Johannes VI. (610–715), Amsterdam 1972. – Zum Streit um den Monenergismus und Monotheletismus: V. Grumel, Recherches sur l'histoire du monothélisme, in: Échos d'Orient 27 (1928) 6–16, 257–277; 28 (1929) 13–34, 158–166, 272–282; 29 (1930) 16–28. – Caspar II 530–619. – P. Goubert, Byzance avant l'Islam sous les successeurs de Justinien Ier, Paris 1951. – Ders., Les successeurs de Justinien et le monophysisme, in: Grillmeier-Bacht, Das Konzil von Chalkedon II 179–192. – P. Verghese, The Monothelete Controversy. A Historical Survey, in: Greek Orth. Theol. Review 13 (1968) 196–211. – H.-G. Beck, in: Handbuch der Kirchengeschichte II/2 (1975) 37–43.

[90] Beste Darstellung zur Causa Honorii: G. Kreuzer, Die Honoriusfrage im

über den Streit zu berichten. Er rühmte die großen Erfolge der Formel von der einen Wirkungsweise und führte aus, daß die Redeweise von Energien zwei Willen in Christus voraussetzen würde; deshalb schlug er vor, künftighin weder von einer noch von zwei Energien in Christus zu sprechen, sondern von *einem* Willen.

Noch im Jahr 634 gab Papst Honorius seine Antwort in einem Schreiben, das nur in jener griechischen Übersetzung[91] erhalten ist, die den Teilnehmern des sechsten Allgemeinen Konzils (Konstantinopel 680/81) vorgelegen hat, auf Grund dessen Honorius als Häretiker verurteilt worden ist. Es erscheint begreiflich, daß man in Rom kein großes Interesse daran hatte, das kompromittierende Schreiben zu bewahren. Papst Honorius ging weitgehend auf das Anliegen des Patriarchen Sergius ein, offensichtlich ohne genaue Vertrautheit mit den schwierigen griechischen Spekulationen in der Christologie. Er bezeichnete es als eitles, ärgerniserregendes Wortgezänk, von einer oder zwei Energien zu reden, und gebot daher, diese Ausdrücke zu meiden. Dann erklärte er: „. . . Deshalb bekennen wir auch *einen* Willen des Herrn Jesus Christus . . . Ob es wegen der Werke der Gottheit und der Menschheit nötig ist, in Christus eine oder zwei Energien als vorhanden zu sagen oder zu denken, das betrifft uns nicht, sondern wir überlassen dies den Grammatikern oder Schönschreibern, die gewöhnlich den Knaben, um sie in ihre Schule zu locken, die von ihnen erfundenen Ausdrücke verkaufen. Wir haben nämlich nicht aus der Schrift gelernt, daß Christus, unser Herr, und sein heiliger Geist eine oder zwei Energien hat, sondern wir haben erkannt, daß er vielgestaltig wirkt“[92]. Nach Abfassung dieses Briefes erhielt Honorius I. die Synodika des Sophronius. Der Patriarch zeigte hier größere Zurückhaltung in seiner Argumentation. Aber Papst Honorius änderte seine Haltung in der Streitfrage nicht. In einem zweiten Schreiben an Sergius[93], das nur mehr fragmentarisch erhalten ist, erklärte er wiederum, „das Ärgernis der neuen Erfindungen“ sei zu entfernen; „wir dürfen

---

Mittelalter und in der Neuzeit, Stuttgart 1975 (Päpste und Papsttum, Bd. 8). Hier auch sorgfältige Untersuchung des Briefwechsels zwischen Sergius und Honorius I.

[91] Text bei Kreuzer 32–47.

[92] „Ὅθεν καὶ ἓν θέλημα ὁμολογοῦμεν τοῦ κυρίου Ἰησοῦ Χριστοῦ.“ Kreuzer 36.

[93] Text bei Kreuzer 48–53.

nicht eine oder zwei Energien festsetzen oder verkünden, sondern anstelle einer Energie, die manche behaupten, müssen wir bekennen, daß der eine Christus, der Herr, in beiden Naturen wahrhaft wirkt“[94]. Ohne Zweifel wollte der Papst unbedingt am überkommenen Glauben, an den alten Konzilien festhalten.

Nach den zustimmenden päpstlichen Schreiben erließ Kaiser Heraklius die von Sergius verfaßte „Ekthesis“ (638)[95], ein Glaubensedikt, welches die Ausdrücke „eine oder zwei Energien in Christus“ verbot und nur *einen* Willen in Christus lehrte. In engem Anschluß an den ersten Honoriusbrief war die Formel von der einen Energie aufgegeben und dafür die Lehre von dem einen Willen in Christus, die den Monophysiten noch weiter entgegenkam, betont. Aus dem monenergistischen entwickelte sich der monotheletische Streit.

Schon der unmittelbare Nachfolger des Honorius, Papst Severin (639–640) scheint die Unterschrift unter die kaiserliche Ekthesis nicht gegeben zu haben[96]. Sicher aber nahmen seine Nachfolger klar gegen den Monotheletismus Stellung. Johannes IV. (640 bis 642) ließ die Ekthesis auf einer römischen Synode mit dem Anathem belegen. In einem Schreiben wandte er sich an die Söhne und Nachfolger des Kaisers Heraklius gegen die Verunglimpfung des Honorius durch den Patriarchen Pyrrhus, den Nachfolger des Sergius, der sich für seine monotheletische Formel auf Papst Honorius berief. Papst Johannes IV. betonte, Honorius habe von *einem* Willen Christi gesprochen, weil er die der gefallenen menschlichen Natur eigene Gegensätzlichkeit der Willensrichtung habe ausschließen wollen. In dem Schreiben wurde die Lehre von den zwei Naturen und zwei Willen und Energien als einhellige Lehre der rechtgläubigen Väter bezeichnet und schließlich die Zurücknahme der Ekthesis gefordert[97]. Papst Theodor I. (642–649), Grieche von Geburt und Sohn eines Bischofs aus Jerusalem, verlangte in schroffen Worten die förmliche Absetzung des im Zusammenhang mit byzantinischen Thronwirren entfernten Patriarchen Pyrrhus und

[94] „'Ἐξαιροῦντες οὖν, ὡς εἴπομεν, τὸ σκάνδαλον τῆς νέας ἐφευρέσεως, οὐ δέον ἡμᾶς ὁρίζειν μίαν ἢ δύο ἐνεργείας, ἀλλ' ἀντὶ μιᾶς, ἥτινες λέγουσιν ἐνέργειαν, δέον ἡμᾶς τὸν ἕνα ἐνεργοῦντα Χριστὸν τὸν κύριον ἐν ἑκατέραις ταῖς φύσεσιν ἀληθῶς ὁμολογεῖν.“ Kreuzer 51.

[95] Mansi X 992–997. – Dölger, Regesten Nr. 211.

[96] Vgl. Caspar II 537 f. – Kreuzer 59 f.

[97] Jaffé-E. nr. 2042.

die Beseitigung der noch öffentlich angeschlagenen Ekthesis[98]. Auch über den nachfolgenden Patriarchen Paulus von Konstantinopel sprach der Papst das Anathem aus, weil er sich nach anfänglicher Zurückhaltung offen zum Monotheletismus bekannt hatte[99].

Kaiser Konstans II. (641–668), ein Enkel des Heraklius, ließ die Ekthesis fallen, weil der namentlich im Westen sich immer stärker regende Widerstand der Reichseinheit gefährlich zu werden drohte; die stärkere Rücksichtnahme auf die monophysitischen Bewohner der Ostprovinzen schien nicht mehr nötig, da diese durch das Vordringen der Araber dem Reich wieder verlorengegangen waren. Der Kaiser erließ aber ein neues Glaubensedikt, den vom Patriarchen Paulus verfaßten „Typus" (648)[100]. Darin wurde unter Androhung schwerer Strafen jede Disputation über einen oder zwei Willen und Willenstätigkeiten in Christus verboten. Natürlich konnte auch durch diesen Machtspruch der ärgerliche Streit nicht aus der Welt geschafft werden.

Kurz nach seiner Erhebung hielt Papst Martin I. (649–653) eine stark besuchte Lateransynode ab (Oktober 649)[101]. Nach eingehender Beratung in fünf Sitzungen wurden Ekthesis und Typus, wie überhaupt die monotheletische Lehre und ihre Verfechtung verurteilt. Das Glaubensbekenntnis dieser Synode und zwanzig Canones[102] entwickelten die Lehre von den zwei Willen und Energien in Christus, die seiner göttlichen und menschlichen Natur entsprechen. Papst Martin bemühte sich eifrig um die Annahme dieser Beschlüsse. Seine Synode gewann bald hohes Ansehen im Abendland. Aber der Papst mußte sein Vorgehen hart büßen. Er wurde im Auftrag des Kaisers verhaftet, nach Konstantinopel geschleppt, als „Hochverräter" schmählich mißhandelt und zum Tod verurteilt. Weil der sterbende Patriarch Paulus für ihn Fürsprache einlegte, behielt er zwar das Leben, wurde aber ans Schwarze Meer verbannt, wo den Unglücklichen der Tod erlöste[103]. Aus seinem trostlosen Exil

---

98 Jaffé-E. nr. 2049.

99 Mansi X 878 f.

100 Mansi X 1029–1032.

101 Mansi X 863–1184. – E. Caspar, Die Lateransynode von 649, in: Zeitschrift für Kirchengeschichte 51 (1932) 75–135. – Über die Vorbereitung einer kritischen Edition der Akten: Kreuzer 70.

102 Mansi X 1149–1162.

103 P. Peeters, Une vie grecque du Pape S. Martin I, in: Analecta Bollan-

schrieb er kurz vor seinem Tod voll Bitterkeit an den römischen Klerus, der sich vor der Staatsgewalt geduckt und bald nach seiner Verschleppung Eugen I. (654–657) gewählt hatte: „Ich habe mich verwundert und ich wundere mich noch über die gleichgültige Erbarmungslosigkeit all derer, die mir einst angehörten, und meiner Freunde und Nächsten, daß sie meiner im Unglück so ganz vergessen haben und, wie ich finde, nicht wissen wollen, ob ich noch lebe oder nicht“[104]. Der nachgiebige Papst Vitalian (657–672) nahm von Anfang an die kirchliche Verbindung mit Konstantinopel auf, obwohl die Glaubensfrage unerledigt blieb. Unter den Päpsten Adeodatus (672–676) und Donus (676–678) hielt der Schwebezustand an, ein latentes Schisma zwischen Rom und Konstantinopel. Erschwerend trat hinzu, daß die Kaisermacht seit langem schon Italien vor den eingebrochenen Barbaren kaum mehr zu schützen vermochte.

Kaiser Konstantin IV. Pogonatus (668–685)[105] richtete nun im August 678 ein Schreiben nach Rom, in welchem er Papst Donus aufforderte, zur Beendigung des Zwiespalts Vertreter der römischen Kirche nach Konstantinopel zu senden, damit ein Einigungsversuch unternommen werde. Für jeden Fall wurde den Deputierten freies Geleit zugesichert. Das kaiserliche Schreiben[106] nahm der Nachfolger des verstorbenen Donus, Papst Agatho (678–681), entgegen. Er wollte offenbar zuerst eine einmütige Stellungnahme der abendländischen Kirche herbeiführen. Dazu nahm er Verbindung mit der englischen Kirche, der Kirche von Ravenna und Mailand auf. Auf einer römischen Synode des Jahres 679, an der sechzehn Bischöfe teilnahmen[107], bekannte sich Agatho klar zum Dyotheletismus und Dyenergismus. Dann versammelte der Papst zu Ostern 680 eine gut besuchte Lateransynode zur Monotheletenfrage[108]. Hier wurden

---

diana 51 (1933) 225–262. — O. Bertolini, Riflessi politici delle controversie religiose con Bisanzio nelle vicende del sec. VII in Italia, in: Caratteri del sec. VII in Occidente II, Spoleto 1958, 733–789. — G. Schwaiger, Martin I., in: LThK VII² 113.

104 Jaffé-E. nr. 2081.

105 G. Ostrogorsky, Geschichte des byzantinischen Staates, München ³1963, 103–108.

106 Dölger, Regesten Nr. 242.

107 Jaffé-E. p. 238.

108 Ebda. Zu den Schwierigkeiten um diese beiden römischen Synoden neuerdings Kreuzer 77 f.

auch die Legaten bestimmt, die nach dem Osten gehen sollten. Den Legaten wurde das Lehrschreiben der Synode mitgegeben, das im Anschluß an die Lateransynode Martins I. von 649 die Lehre von den zwei Willen und zwei Wirkungsweisen des Willens in Christus darlegte. Dieses Schreiben[109] trug die Unterschrift von 125 Bischöfen, unter ihnen auch der Bischöfe Wilfrith von York und Adeodatus von Toul, die als „Legaten der Synoden von Britannien und Gallien" zeichneten. Der Papst bemühte sich, seiner Synode ein möglichst universal-abendländisches Gepräge zu geben. In Wirklichkeit waren freilich Wilfrith und Adeodatus wohl nur zufällige Gäste in Rom. Eine wirkliche Vertretung der Kirchen jenseits der Alpen hatte der Papst vergeblich zu erreichen versucht. Die römischen Synodalen bezeichneten sich dem Kaiser gegenüber als „Euerer allerchristlichsten Macht Knechte in den westlichen und nördlichen Landen". Ihr Bestreben sei, „daß Euerer allerchristlichsten Macht res publica, in welcher der Stuhl des seligen Apostelfürsten Petrus steht, dessen auctoritas mit uns alle christlichen Völker auf den Knien verehren, um der Ehrenschätzung des heiligen Petrus willen als höher denn alle Völker erwiesen werde". Papst Agatho selbst nannte Rom die „apostolische Kirche Christi, die geistliche Mutter" der allerglücklichsten gottgesetzten erhabenen Macht des Kaisers. Rom erscheint als geistliche Mutter des Reiches, der Kaiser als „Sohn" dieser Mutter. Hier kündigte sich ein neuer römischer Sprachstil an, der sich schon unter den nachfolgenden Päpsten als eindrucksvoll ausbaufähig erwies: Petrus und seine Kirche als einziges Symbol der Einheit in einer neuen Welt staatlicher Vielheit. Agathos Nachfolger Leo II. sprach davon bereits als gottgegebener Tatsache.

Papst Agatho wies in seinem Schreiben an den Kaiser auf die Not des bedrängten Westens hin und entschuldigte damit zugleich die Bescheidenheit der theologischen Wissenschaften: „Wie kann bei uns, die wir mitten in das [Getriebe] der Völker gestellt sind und um das tägliche Brot in Unsicherheit körperlich arbeiten müssen, eine umfassende Wissenschaft in den heiligen Schriften gefunden werden, es sei denn, daß wir die Entscheidungen der heiligen Väter und der ehrwürdigen fünf Synoden in Einfalt des Herzens und ohne Zweideutigkeit bewahren." Auch die Teilnehmer der römischen

---

[109] Jaffé-E. nr. 2110. – Mansi XI 285–315.

Synode nannten sich „einfältig im Wissen, aber im Glauben durch Gottes Gnade fest". Der Kaiser hatte verlangt, Gesandte „mit voller Kenntnis der heiligen Schriften" zu schicken. Die römischen Synodalen mußten eingestehen: „... wir glauben bei uns in diesen Zeiten keinen zu finden, der sich höchster Wissenschaft rühmen kann"[110].

Aber ein gewisses Unbehagen über mögliche Entwicklungen auf dem kommenden Reichskonzil im Osten steht deutlich im Hintergrund des Papstschreibens. Seinen Kern bilden das Glaubensbekenntnis, die Berufung auf die Apostelnachfolge und die fünf Synoden. All dies mündet darin, daß die römische Kirche „durch Gottes Gnade niemals vom Weg der apostolischen Überlieferung abgewichen, noch häretischen Neuerungen verfallen sei, sondern vom Beginn des christlichen Glaubens an, was sie von ihren Gründern, den Apostelfürsten, empfing, unversehrt bewahrt hat". Papst Honorius wurde mit Schweigen übergangen, im wirkungsvollen Kontrast zur stets unversehrten römischen Rechtgläubigkeit aber die Häresie des Ostens bis zu den Patriarchen Sergius und Pyrrhus, die allein für Ekthesis und Typus verantwortlich gemacht wurden, herausgestellt. Übergangen wurden auch sowohl im Schreiben des Papstes Agatho wie in dem der römischen Synodalen die Anatheme, die auf der Lateransynode Martins I. von 649 und nachher gegen einzelne Personen, vor allem gegen die Patriarchen von Konstantinopel, geschleudert worden waren. Diese Maßnahmen der römischen Kirche wurden zwar nicht verleugnet, doch die Behandlung sollte dem kommenden Reichskonzil vorbehalten sein. Damit war die Lateransynode von 680 in der reichskirchenrechtlichen Auffassung der Zeit klar als Vorbereitung der bevorstehenden Ökumenischen Synode im Osten eingeordnet.

In der herkömmlichen Weise hatte Kaiser Konstantin IV. das Reichskonzil einberufen, das vom 7. November 680 bis zum 16. September 681 in Konstantinopel tagte, das sechste Allgemeine Konzil, das dritte von Konstantinopel[111]. In den zehn Monaten wurden

---

[110] Jaffé-E. nr. 2109, 2110. – Caspar II 590–594.

[111] COD 123–130. – Mansi XI 207–738. – Hefele-Leclercq III 472–538. – Caspar II 597–609. – Haller I² 333–341. – W. de Vries, Die Struktur der Kirche gemäß dem III. Konzil von Konstantinopel, in: Volk Gottes. Festgabe Josef Höfer, hrsg. v. R. Bäumer u. H. Dolch, Freiburg-Basel-Wien 1967, 262–285. – Ders.,

achtzehn Sitzungen gehalten. Die römische Legation bildeten die drei Bischöfe Johannes von Porto, Abundantius von Paterno und Johannes von Reggio, die Presbyter Theodor und Georgius, der Diakon Johannes (der spätere Papst Johannes V., 685–686) und der Subdiakon Konstantin (der spätere Papst Konstantin I., 708 bis 715). Die Patriarchate Alexandrien, Antiochien und Jerusalem waren nur kümmerlich vertreten, da sich ihre Sitze neuerdings in partibus infidelium befanden. Gleichwohl verfügte der Kaiser in der Schlußsitzung, daß Abschriften der Konzilsbeschlüsse „an die fünf Patriarchatsthrone" zu schicken seien[112].

Das Konzil wurde mit nur 43 Bischöfen eröffnet[113]. Doch stieg die Zahl schließlich auf 174 Bischöfe in der Schlußsitzung. Der Westen war wie auf allen Konzilien der alten Christenheit schwach vertreten. Zur römischen Legation erschien schließlich noch ein Bischof aus Sardinien, ein Bischof als Vertreter der afrikanischen Kirche. Aber der römische Patriarchat war dank seiner östlichen Obödienz insgesamt doch recht stattlich repräsentiert. Die Verhandlungen fanden im Kuppelsaal des kaiserlichen Palastes (Trullos) statt. Den Vorsitz führte in den ersten elf Sitzungen und in der Schlußsitzung Kaiser Konstantin persönlich, in den übrigen Sitzungen ließ er sich durch hohe Beamte vertreten. An der Spitze seiner Großwürdenträger nahm der Kaiser in der Mitte des Saales Platz, an seiner Seite Legaten und Vertreter der fünf Patriarchate.

Noch klarer als in Chalkedon wurde der römische Anspruch, Glaubensfragen allein zu entscheiden, abgelehnt. Trotz der Vorentscheidung Roms wurde die Frage des Monotheletismus als völlig offen betrachtet. Die beiden Parteien saßen sich, schon in der Sitzordnung zur Linken (Antimonotheleten) und zur Rechten des Kaisers (Monophysiten und Monotheleten) erkennbar, als gleichberechtigte Partner gegenüber. Wie in Chalkedon erhielten die römischen Legaten das Wort zur ersten Stellungnahme. Im übrigen fügten

---

Papst und Bischofskollegium gemäß den letzten drei ökumenischen Konzilien des ersten Jahrtausends, in: Theologisch-praktische Quartalschrift 118 (1970) 154 bis 162. – Ders., Orient et Occident, Paris 1974, 195–220. – H.-G. Beck, in: Handbuch der Kirchengeschichte II/2 (1975) 37–43. – Kreuzer, Die Honoriusfrage 82–101.

[112] Mansi XI 681.

[113] Mit den Äbten, Presbytern und Diakonen zählte die 1. Sitzung 50 Teilnehmer. Den Sermo acclamatorius oder prosphoneticus an den Kaiser unterzeichneten 153 Teilnehmer. Mansi XI 657–681. Vgl. Kreuzer 83.

sie sich durchaus in diese reichskirchenrechtliche Struktur einer Ökumenischen Synode.

Die päpstlichen Legaten schoben in ihrer ersten Stellungnahme die Beweislast der Lehre von *einem* Willen in Christus, welche die Patriarchen Sergius, Pyrrhus, Paulus II. und Petrus von Konstantinopel zusammen mit Cyrus von Alexandrien und Theodor von Pharan neu eingeführt hätten, ganz der Gegenpartei zu[114]. Die aussichtslose Position der Monotheleten vertraten Patriarch Macarius von Antiochien, der sich auf die Ökumenischen Synoden, anerkannte heilige Väter, Patriarchen, auch auf Papst Honorius berief, und für den Patriarchat Konstantinopel der Metropolit Petrus von Nikomedien und ein weiterer Bischof[115]. Auf kaiserlichen Befehl wurden die Akten geholt und in den drei ersten Sitzungen verlesen. Mehrere Beweisstücke der Monotheleten hielten der Echtheitsprüfung nicht stand. In dieser peinlichen Lage stellte Patriarch Georgius von Konstantinopel den Antrag, zunächst die Schreiben Papst Agathos und seiner Synode zu verlesen. Diese Verlesung beanspruchte die ganze Sitzung des 15. November[116]. Die Verlesung umfangreicher Vätertexte füllte die folgenden Sitzungen. In der achten Sitzung, am 7. März 681[117], erklärte sich Patriarch Georgius von Konstantinopel mit der großen Mehrheit seiner Bischöfe von den römischen Beweisstücken überzeugt und schloß Frieden mit Rom. An der Spitze der zusammenschrumpfenden monotheletischen Partei erklärte Macarius von Antiochien, er wolle sich lieber in Stücke reißen lassen, als zwei Willen in Christus zugeben. Bereits am Ende dieser achten Sitzung stellte die Synode den Antrag, Macarius als „neuen Dioscur und neuen Apollinarius“ abzusetzen. Schließlich hielten nur Macarius und Abt Stephan aus Antiochien unbeugsam am Monotheletismus fest. In der elften Sitzung (18. März 681)[118] wurde auf Antrag des Vertreters von Jerusalem das Inthronisationsschreiben des Patriarchen Sophronius an Sergius von Konstantinopel verlesen, das vor einem Menschenalter die Bewegung gegen den Monenergismus und Monotheletismus im Großen ausgelöst hatte. Die päpstlichen

---

[114] Mansi XI 212 f.
[115] Mansi XI 213.
[116] Mansi XI 229–316.
[117] Mansi XI 332–377.
[118] Mansi XI 456–517.

Legaten verlangten nun auch die Verlesung der Schriften des Patriarchen Macarius. Erst jetzt wurde der Name des Papstes Honorius wirklich in die Debatte geworfen. In einer Eingabe des Macarius an den Kaiser stand der Satz: „... alle, die ‚einen Willen' des Herrn angenommen haben, von denen einer Honorius von Rom ist, der auf das allerbestimmteste ‚einen Willen' gelehrt hat." In der zwölften Sitzung (20. März 681)[119] kam dann, wieder aus dem Material des Patriarchen Macarius, das Schreiben des Patriarchen Sergius an Papst Honorius und dessen Antwort, der erste Honoriusbrief, zur Verlesung. Aus dem Patriarchatsarchiv wurden die Originale geholt, mit der Abschrift des Antiocheners verglichen und damit die Authentizität gegen jeden künftigen Einwand gesichert[120].

Die päpstlichen Gesandten hatten bisher am regsten in die Debatten eingegriffen. Nun verstummten sie. Die führende Rolle übernahmen seit der dreizehnten Sitzung die Repräsentanten der Kirche von Konstantinopel. Der Kaiser stellte in dieser Sitzung (28. März 681)[121] den Antrag, die Versammlung solle nun auch zu den zuletzt verlesenen Dokumenten Stellung nehmen. Darauf erklärte sie die Synode alle, ausgenommen nur die Synodika des Sophronius, für „völlig von den Erklärungen der heiligen Konzilien und aller angesehenen Väter abweichend"; den Patriarchen Sergius betreffend und alle, die ihm gefolgt sind, Cyrus von Alexandrien, Pyrrhus, Paulus und Petrus von Konstantinopel, wurde auf das Verdammungsurteil im Schreiben des Papstes Agatho an den Kaiser verwiesen. Nach der Verurteilung der Exponenten des Monotheletismus erklärte das Konzil: „Neben ihnen soll, das ist unser gemeinsamer Entschluß, der ehemalige Papst Honorius von Alt-Rom aus der Kirche ausgeschlossen sein und dem Anathem verfallen, weil wir in seinem Brief an Sergius gefunden haben, daß er in allem dessen Meinung gefolgt ist und dessen gottlose Lehren bestätigt hat"[122]. Die päpstlichen Legaten nahmen an dieser dreizehnten Sitzung

---

[119] Mansi XI 517–549.

[120] Mit der Überprüfung des ersten Honoriusbriefes (in der Fassung der Macariushandschrift) an Hand des Originals beauftragte das Konzil den Bischof Johannes von Porto, einen der päpstlichen Legaten, sicher in der Absicht, dadurch jeden Vorwurf der Fälschung abzuwehren. Mansi XI 545–547.

[121] Mansi XI 549–581.

[122] „... κατὰ πάντα τῇ ἐκείνου γνώμῃ ἐξακολουθήσαντα, καὶ τὰ αὐτοῦ ἀσεβῆ κυρώσαντα δόγματα." Mansi XI 553–556.

teil. Dem Papst Honorius wird vom Konzil also die Bestätigung häretischer Lehren vorgeworfen; er wird wie die anderen genannten Männer als Häretiker bezeichnet. Papst Agatho hatte als Vertretung drei italische Bischöfe, zwei römische Presbyter, einen Diakon, einen Subdiakon und einige Mönche aus den griechischen Klöstern Roms geschickt. Die Delegation führte Bischof Johannes von Porto. Mit anderen häretischen Schriften wurden auch die Schreiben des Papstes Honorius feierlich verbrannt[123]. Die große Schlußrede des Konzils an den Kaiser wiederholte den Fluch über die monotheletischen Ketzer, und auch hier stand der Name des Honorius in einer Reihe mit Sergius, Pyrrhus und den anderen, denen er gefolgt sei.

Die Schlußsitzung trat am 16. September 681[124] wieder unter dem Vorsitz des Kaisers zusammen. Hier wurde zunächst ein ausführliches Glaubensbekenntnis aufgestellt. Es begann mit dem Bekenntnis zu den fünf großen Synoden. Dann hieß es weiter: Weil der Teufel immer neue Werkzeuge häretischer Vergiftung finde, wie Theodor von Pharan, Sergius, Pyrrhus, Paulus und Petrus von Konstantinopel, Honorius von Rom, Cyrus von Alexandrien, Macarius von Antiochien und Stephan mit ihrer falschen Lehre von einer Energie und einem Willen, so nehme die Versammlung das Schreiben Papst Agathos an den Kaiser sowie das Schreiben der römischen Synode an, da sie mit dem Konzil von Chalkedon, dem Tomus Papst Leos und den dogmatischen Briefen Kyrills von Alexandrien übereinstimmten. Dann wurde die Lehre von den zwei natürlichen Willen und Wirkungsweisen in Christus dargelegt, die ungeteilt und unverwandelt, ungetrennt und unvermischt seien; der menschliche Wille folge aber dem göttlichen und ordne sich ihm unter[125]. Einhundertvierundsiebzig Bischöfe unterschrieben das Dokument, an der Spitze die päpstlichen Legaten[126]. Der Kaiser fügte sein „Legimus et consensimus" an. In dieser Sitzung wurde ferner eine von allen Teilnehmern unterzeichnete Huldigungsadresse an Kaiser Konstantin IV. verlesen, die noch einmal das ganze Geschehen zusammenfaßte und in byzantisch ausladenden Wendungen ausklang: „Mit uns stritt der höchste Fürst der Apostel; denn sein

[123] Mansi XI 581.
[124] Mansi XI 624—736.
[125] Mansi XI 636. – COD 124—130 (griechischer und lateinischer Text).
[126] Mansi XI 640, 668 DE.

Nachahmer und Nachfolger auf dem Stuhl weihte uns ein und machte uns durch seinen Brief das Mysterium der Theologie offenbar. Ein von Gottes Hand geschriebenes Bekenntnis brachte Dir, o Kaiser, Rom, die alte Stadt, dar; sie führte den lichten Tag der rechten Lehre vom Westen herauf. Man sah Tinte und Papier, durch Agatho hat Petrus gesprochen"[127].

Die Metropoliten der Synode richteten ein Schreiben an den Papst, worin sie ihn als den weisen Arzt priesen, der die Medizin des rechten Glaubens gereicht habe. „So geben wir dir anheim, was zu tun ist, als dem Vorsteher des ersten Stuhles der universalen Kirche, der auf dem festen Felsen des Glaubens steht." Auch hier wird noch einmal das Anathem über die namentlich genannten Männer aufgeführt, unter ihnen wieder Honorius[128]. Ein kaiserliches Edikt bestätigte feierlich die Beschlüsse des sechsten Ökumenischen Konzils, das den früheren fünf Konzilien gleichkomme; es verkündete das beschlossene Glaubensbekenntnis und das Anathem über Theodor von Pharan, Sergius und die übrigen, auch über Honorius, „der in allem ihr Helfer, Genosse und Bekräftiger der Häresie" gewesen sei[129].

Papst Agatho war bereits am 10. Januar 681 gestorben[130]. Wohl schon im März hatte man davon in Konstantinopel Nachricht, setzte aber, wie es dem Selbstverständnis der Ökumenischen Synoden entsprach, die Konzilsarbeit fort. Auch die römischen Gesandten, die ja nicht nur den Papst, sondern zugleich die römische Synode repräsentierten, sahen keinen Anlaß, ihren Auftrag als erloschen zu betrachten. Agathos Nachfolger, Leo II. (682–683)[131], wurde vom Kaiser erst bestätigt, als seine Billigung des sechsten Allgemeinen Konzils feststand. Leo II. erklärte bald nach seiner Weihe in einem Schreiben an den Kaiser[132], daß die übersandten Synodalakten mit den mündlichen Berichten der Legaten voll übereinstimmten; er

---

[127] Mansi XI 665.
[128] Mansi XI 684.
[129] Mansi XI 700. – Dölger, Regesten Nr. 245.
[130] Jaffé-E. p. 240.
[131] Mansi XI 713–922, 1046–1058. – Le Liber Pontificalis, ed. L. Duchesne, I (Paris 1886) 359–362, 375–379, III (ed. C. Vogel, Paris 1958) Reg.
[132] Jaffé-E. nr. 2118. – P. Conte, Chiesa e primato nelle lettere dei papi del secolo VII. (Pubblicazioni dell'Università del S. Cuore. Saggi e ricerche. Serie terza, scienze storiche, 4), Milano 1971, 483 f.

nahm Kenntnis davon, „daß die große und ökumenische sechste Synode, auf kaiserlichen Befehl in der Kaiserstadt versammelt, das gleiche wie auch die ökumenische Synode", die dem heiligen apostolischen Stuhl unterstehe, dessen Amt ihm zugefallen sei, gemeint und beschlossen habe in der unversehrten Bewahrung des orthodoxen Glaubens. Sein Vorgänger Agatho habe „die Norm der rechten und apostolischen Überlieferung gemeinsam mit seiner Synode verkündet", die sechste Synode habe diese Überlieferung als die lautere Lehre des Apostelfürsten angenommen, weshalb der apostolische Stuhl Petri seinerseits deren Beschlüssen zustimme und sie mit der Autorität des Apostels Petrus bekräftige; das sechste Konzil sei den vorangegangenen zuzurechnen, seine Teilnehmer seien den heiligen Vätern und Lehrern zuzuzählen[133].

Leo II. betonte in seinem Schreiben an den Kaiser stärker die Priorität der römischen Synode seines Vorgängers, die er ökumenisch nennt, doch ohne sie in die offizielle Zählung der Allgemeinen Konzilien aufzunehmen. Der Papst führte in langer Reihe die Anatheme gegen die Häretiker an, von Arius angefangen bis zu den letzten, darunter auch Honorius. Das Anathem über ihn wird ausdrücklich anerkannt: Honorius, „der nicht Hand anlegte, diese apostolische Kirche durch die Lehre apostolischer Überlieferung reinzuhalten, sondern sie durch unheiligen Verrat befleckt werden ließ"[134]. Den gleichen Vorwurf häretischen Unterlassens erhob Leo II. gegen Honorius auch in zwei Schreiben, die nach Spanien gingen[135]. Der

---

[133] Mansi XI 725–736.

[134] Die lateinische Übersetzung faßt das Urteil Leos II. über Honorius eher noch schärfer: „... nec non et Honorium qui hanc apostolicam ecclesiam non apostolicae traditionis doctrina lustravit, sed persana proditione immaculatam fidem subvertere conatus est." Mansi XI 731 D. Vgl. Caspar II 612 f. u. Kreuzer 100 f. Eine Abschwächung des Textes erscheint mir im ganzen Zusammenhang unstatthaft.

[135] Jaffé-E. nr. 2119 (an die spanischen Bischöfe): „... qui flammam haeretici dogmatis non, ut decuit apostolicam auctoritatem, incipientem exstinxit, sed negligendo confovit". – Jaffé-E. nr. 2120 (an König Ervig): nunciat, sexto concilio universali fidem confirmatam, Monothelitasque damnatos esse, „et una cum eis Honorium Romanum, qui immaculatam apostolicae traditionis regulam, quam a praedecessoribus suis accepit, maculari consensit". – In den Liber Pontificalis ging folgende Fassung ein (I 359): „... in qua condemnati sunt Cyrus, Sergius, Honorius, Pyrrhus, Paulus, et Petrus, ... qui unam voluntatem et operationem in domino Jesu Christo dixerunt vel praedicaturi fuerint aut defensaverint".

Papst übertrug auch die wichtigsten Konzilsakten vom Griechischen ins Lateinische und sandte sie der spanischen Kirche[136].

Der „Fall des Papstes Honorius" hat bis in unsere Tage immer wieder die Theologen und Historiker beschäftigt[137]. Dabei liegt der Kern der Frage gar nicht darin, ob man vielleicht die Äußerungen des Papstes zur Orthodoxie hin abmildern kann. Er liegt vielmehr in der unbestreitbaren historischen Tatsache, daß die gesamte Christenheit des 7. Jahrhunderts, repräsentiert im Ökumenischen Konzil als der anerkannten höchsten Autorität in Glaubensfragen, einen Papst in einer wichtigen christologischen Frage als Häretiker verurteilt hat, daß auch die päpstlichen Legaten und Papst Leo II. die peinliche Möglichkeit nicht ausgeschlossen, vielmehr ausdrücklich anerkannt haben, daß ein Papst in einer wesentlichen Glaubensaussage geirrt habe. Die Verurteilung des Papstes Honorius wurde wiederholt auf dem Quinisextum zu Konstantinopel (692)[138] und – gleich viermal – auf dem Siebten Ökumenischen Konzil, dem Zweiten Konzil von Nicaea (787)[139]. Diese Tatsachen erhalten verstärktes Gewicht durch eine weitere unbestreitbare Tattsache: In dem feierlichen Glaubensbekenntnis, das die mittelalterlichen Päpste bei ihrem Amtsantritt ablegten, wohl bis zur Epoche des Reformpapsttums im 11. Jahrhundert, wurde Honorius I. mit den anderen Häretikern der Vergangenheit verurteilt[140]. Dies ist über Jahrhunderte

[136] Jaffé-E. nr. 2119.

[137] Aus den letzten hundert Jahren nenne ich nur: K. J. Hefele, Das Anathem über Papst Honorius, in: Theologische Quartalschrift 39 (1857) 3–61. – Ders., Causa Honorii Papae, Neapel 1870 (davon 2 deutsche Übersetzungen: Die Honoriusfrage, Münster 1870, und – als autorisierte Übersetzung – Honorius und das sechste allgemeine Concil, Tübingen 1870). – R. Bäumer, Die Wiederentdeckung der Honorius-Frage, in: Römische Quartalschrift 56 (1961) 200–214. – P. Stockmeier, Die Causa Honorii und Karl Josef von Hefele, in: Theologische Quartalschrift 148 (1968) 405–428. – Ders., Der Fall des Papstes Honorius und das Erste Vatikanische Konzil, in: G. Schwaiger (Hrsg.), Hundert Jahre nach dem Ersten Vatikanum, Regensburg 1970, 109–130. – G. Kreuzer, Die Honoriusfrage im Mittelalter und in der Neuzeit, Stuttgart 1975 (umfassende Untersuchung aus den Quellen, mit Lit.).

[138] Mansi XI 937 E.

[139] Mansi XII 1123, 1141; XIII 377 B, 412 B.

[140] Der Text einer Professio fidei papae lautet zu dieser Stelle in den drei erhaltenen Handschriften des Liber Diurnus völlig gleich; nach einer ausführlichen Behandlung des 6. Ökumenischen Konzils stellt er die Zwei-Willen-Lehre dar und fährt dann fort: „auctores vero novi haeretici dogmatis Sergium, Pyrrhum, Paulum et Petrum Constantinopolitanos una cum Honorio qui pravis eorum

hin ein sprechendes Zeugnis, wie man am ersten Sitz der Christenheit dachte und glaubte. Dies beweist auch, wie ernst man die Schuld des Papstes Honorius in Rom beurteilt hat.

Das „Quinisextum" in Konstantinopel 692

Das fünfte und das sechste Allgemeine Konzil hatten nur dogmatische Entscheidungen getroffen. Fragen der Liturgie und des Kirchenbrauches waren nicht behandelt worden. Der selbstherrliche Kaiser Justinian II. berief nun für das Jahr 692 ein Reichskonzil nach Konstantinopel, das wieder im Kuppelsaal (trullos) des kaiserlichen Palastes abgehalten wurde; gedacht war die Kirchenversammlung als Fortsetzung und Ergänzung der Reichssynode von 680/81, um ihr dadurch von vornherein ökumenische Geltung zu sichern. Der Kaiser versuchte auf diesem „Quinisextum" (synodus quinisexta)[141] als Herr der Reichskirche und als der von Gott bestellte Schützer des rechten Glaubens, Kirchenrecht und Kirchenbrauch des griechisch bestimmten Ostens der ganzen Kirche aufzuzwingen, teilweise mit schroffer Ablehnung der abendländischen Kirchendisziplin, obwohl der Westen offiziell überhaupt nicht eingeladen wurde. Die Synode erließ 102 Canones; der erste bekennt sich zum Glauben der sechs Allgemeinen Konzilien, die übrigen betreffen Kirchenrecht und Kirchenbrauch. In der Aufzählung der geltenden, vom Konzil anerkannten Quellen des Kirchenrechts wurden fast ausschließlich solche der orientalischen Kirche genannt. Die abendländische kirchliche Gesetzgebung, besonders das päpstliche Dekretalenrecht, ist übergangen. Die Konzilsbeschlüsse von Konstantinopel 381 (Canon 3) und Chalkedon 451 (Canon 28) über die gleichen „Ehrenrechte" des Neuen mit dem Alten Rom, sowie der 17. Canon von Chalke-

adsertionibus fomentum impendit ... cum omnibus hereticis scriptis atque sequacibus nexu perpetue anathematis devinxerunt, qui unam execrabiliter asserebant voluntatem et unam operationem in Christo ... propterea quosque vel quaeque haec sancta sex universalia concilia abiecerunt, simili etiam nos condemnatione percellimus anathemate." Liber Diurnus Romanorum Pontificum, ed. Th. E. von Sickel, Wien 1889, 100 f.; ed. (Gesamtausgabe) H. Foerster, Bern 1958, 230, 349 f. — Kreuzer 105 f. Hier S. 102—226 ein reiches Arsenal der Stellungnahmen zur Causa Honorii durch alle Jahrhunderte.

[141] Mansi XI 921—1006. — Hefele-Leclercq III 560—581. — Caspar II 632—636.

don, daß der staatlich-bürgerlichen Stellung einer Stadt der kirchliche Rang entsprechen müsse, wurden erneuert. Bräuche der westlichen Kirche, wie die Zölibatsforderung für Diakone und Presbyter sowie das Samstagsfasten, wurden abgelehnt, ihre Beachtung verboten. Die Canones des trullanischen Quinisextum unterschrieben an erster Stelle der Kaiser – dahinter war Raum freigelassen für die Unterschrift des Papstes –, dann die Patriarchen von Konstantinopel, Alexandrien, Jerusalem und Antiochien, Metropoliten und Bischöfe, insgesamt 211 Konzilsväter. Vom Patriarchat des Westens unterschrieb allein Bischof Basilius von Gortyna, der von sich behauptete, daß er „die ganze heilige Synode von Rom" vertrete. Die Akten der Synode enthalten nicht die Unterschrift der päpstlichen Apokrisiare am Kaiserhof, wohl aber sagt der Liber Pontificalis, diese hätten „getäuscht" unterzeichnet. Als man nun die Unterschrift Papst Sergius' I. (687–701) einholen wollte, weigerte er sich entschieden, das Synodalprotokoll öffentlich verlesen zu lassen und seine Unterschrift zu geben, „weil einige Kapitel wider den kirchlichen Brauch eingefügt waren". Der Papst verwarf die Beschlüsse der östlichen Synode „als ungültig"[142]. Sergius war der Sohn syrischer Eltern, auf Sizilien geboren und mit der Situation des Ostens durchaus vertraut.

Das selbstherrliche Vorgehen Kaiser Justinians II. anläßlich der Synode von 692 erfuhr noch eine böse Zuspitzung, als der Kaiser Papst Sergius I. das Schicksal Martins I. bereiten wollte. Da wurde offenbar, welcher Wandel der Machtverhältnisse in Italien seit einem halben Jahrhundert eingetreten war. Als der byzantinische Protospathar Zacharias den Papst festnehmen wollte, eilten die Milizen von Ravenna und der Pentapolis herbei, um zusammen mit dem römischen Volk dies zu verhindern und den Papst zu schützen. In der breit ausmalenden Schilderung in der Vita Sergii I des Liber Pontificalis[143] klingt der Jubel darüber nach, daß man endlich in der Lage war, der byzantinischen Willkür wirksam zu begegnen.

Nur im griechischen Osten wurde die Synode von 692 als ökumenisch betrachtet, eben als Synodus quinisexta, als Ergänzung des fünften und sechsten Ökumenischen Konzils. Diese Synode verschärfte die Kluft zwischen dem Osten und Westen. Sie bedeutete

[142] Liber Pontificalis I 372 f.

[143] Ebda. 371–382.

einen wichtigen Wendepunkt in den Beziehungen. „Denn damit begann der Orient nun seinerseits die kulturelle und geistige Kluft gegen den Westen zu erweitern, während es vorher, zumal seit Justinian I., die Politik der Reichskirche gewesen war, jener Entfremdung entgegenzuwirken, mit der die Ausdehnung der römischen Primatsdoktrin auf Fragen der kirchlichen Verfassung und Sitte die Ökumenizität der una ecclesia bedroht hatte. Jetzt stellte man dem in der östlichen Reichskirche niemals anerkannten, aber bisher nur gelegentlich offen bestrittenen päpstlichen Anspruch, daß der römische Brauch in allen kirchlichen Dingen allgemein maßgebend sein müsse, ein Dokument von über hundert Kanones entgegen, welches ganz offen die byzantinische Gegenthese vertrat“[144].

Kaiser Justinian II. war wegen seiner Grausamkeit allgemein verhaßt und wurde 695 durch den Feldherrn Leontius entthront, verstümmelt und nach Cherson verbannt, wo vier Jahrzehnte zuvor Papst Martin I. verlassen im Exil gestorben war. Im Jahr 705 konnte er mit bulgarischer Hilfe den Thron zurückerobern und begann nun mit gesteigertem Wüten seine zweite Regierung. Nun wollte er auch die Anerkennung seiner trullanischen Synode von 692 in Rom durchsetzen, allerdings in größerer Anpassungsfähigkeit. Er schickte zwei Metropoliten zu Papst Johannes VII. (705 bis 707) mit der Aufforderung, die Beschlüsse zu bestätigen, soweit er sie für gut halte, die übrigen aber zu verwerfen[145]. Johannes VII. war ein gebildeter Grieche vornehmer Herkunft. Aus Angst vor dem Kaiser, der zur selben Zeit den Patriarchen von Konstantinopel und den Erzbischof von Ravenna als „Hochverräter“ grausam verstümmeln ließ, wagte er keine Ablehnung. Der Papst schickte die Canones unverändert zurück, was als Anerkennung auch der romfeindlichen Bestimmungen erscheinen mußte. Deshalb erhebt der Liber Pontificalis[146] gegen Johannes VII. den Vorwurf der Feigheit.

Konstantin I. (708–715), syrischer Herkunft, war der letzte Papst (vor Paul VI.), der nach Konstantinopel reiste. Er wurde im Osten mit allen Ehrungen empfangen. In den Verhandlungen zwischen Kaiser und Papst kam es offensichtlich zu einer Verständigung über

---

[144] Caspar II 633.
[145] Dölger, Regesten Nr. 264.
[146] Ed. Duchesne, I 385 f.

die strittigen Canones der trullanischen Synode, indem der Papst die mit den römischen Gewohnheiten in Einklang stehenden Canones billigte, unterstützt durch seinen Diakon Gregor, den späteren Papst Gregor II. Der Kaiser habe darauf „alle Privilegien“ der römischen Kirche erneuert, weiß das Papstbuch[147] zu berichten. Doch das Bild trog. Die griechischen Päpste der Zeit um 700 repräsentieren die cathedra Petri in großer Bedrängnis, müde geworden und ohne Schwung. Die byzantinische Epoche des Papsttums neigte sich dem Ende zu. Was sich längst in einzelnen Stößen angekündigt hatte, sollte im eben angebrochenen achten Jahrhundert zur grundsätzlichen Neuorientierung der päpstlichen Politik führen: zur Lösung aus dem byzantinischen Reichsverband, zum Bund des Papsttums mit den Franken, der stärksten politischen Macht des Westens.

Nicaea 787

Das siebte Allgemeine Konzil, das zweite von Nicaea, wurde zur Beilegung des Bilderstreites[148] abgehalten.

Den Kerngedanken der christlichen Bilderverehrung hatte bereits Basilius der Große im 4. Jahrhundert ausgesprochen: Die Ehre, die dem Bild erwiesen wird, geht über auf die dargestellten heiligen Personen oder Heilsgeheimnisse, an deren Kraft und Gnade das Bild teilhat. Wichtig für das Verständnis der Bilderverehrung wurde die klare Unterscheidung zwischen Anbetung, die Gott allein gebührt und erwiesen werden darf, und der Verehrung, die man den Heiligen und den heiligen Bildern bezeigt.

---

[147] Ebda. I 389–395.

[148] G. Ostrogorsky, Studien zur Geschichte des byzantinischen Bilderstreites, Breslau 1929. – Ders., Rom und Byzanz im Kampf um die Bilderverehrung, in: Seminarium Kondakovianum 6 (1933) 73–87. – Ders., Geschichte des byzantinischen Staates, München ³1963. – E. J. Martin, A History of the Iconoclastic Controversy, London 1930. – A. Grabar, L'iconoclasme byzantin, Paris 1957. – H. G. Beck, Die griechische Kirche im Zeitalter des Ikonoklasmus, in: Handbuch der Kirchengeschichte III/1 (1966) 31–61 (QQ., Lit.). – St. Gero, Notes on Byzantine iconoclasme in the VIIIth century, in: Byzantion 44 (1974) 23–42. – S. de Boer, De ikonenstrijd van 726–843, Leiden 1975. – L. W. Barnard, Byzantium and Islam. The interaction of two worlds in the iconoclastic era, in: Byzantinoslavica 36 (1975) 25–37. – L. Lamza, Patriarch Germanos I. von Konstantinopel (715–730), Würzburg 1975.

Kaiser Leo III. rettete 717/18 Konstantinopel und damit das byzantinische Reich vor der arabischen Eroberung, wohl auch die noch heidnischen Völker im östlichen und mittleren Europa vor der Islamisierung. Durch bilderfeindlich eingestellte kirchliche Kreise und wohl auch andere orientalische Einflüsse ließ er sich zum Vorgehen gegen die Bilder bestimmen. Die Initiative dazu lag nicht beim Kaiser, sondern offensichtlich bei Bischöfen Kleinasiens. Im Jahr 726 erging eine erste kaiserliche Verlautbarung, welche zur Entfernung der Bilder aus den Kirchen mahnte. Ein kaiserliches Edikt (730) ordnete ihre Zerstörung an. Politische Beweggründe standen dabei im Vordergrund. Nun begann im ganzen Reich der Bildersturm. Sofort erhob sich im Osten, besonders in den Kreisen der Mönche, aber auch eine scharfe Opposition gegen den kaiserlichen Ikonoklasmus. Patriarch Germanus von Konstantinopel mußte abdanken, als er dem Kaiser Widerstand leistete.

Papst Gregor II. (715–731)[149] wies die Aufforderung Leos III., sein Edikt gegen die Bilderverehrung anzunehmen, auf einer römischen Synode scharf zurück. In dem neuen kaiserlichen Übergreifen auf das dogmatische Gebiet verfocht der Papst eine reinliche Scheidung der Gewalten und ihrer Aufgaben, wie sie schon Papst Gelasius I. gefordert hatte: „Jeder von uns bleibe in dem Beruf, zu dem er von Gott berufen ist“[150]. Papst Gregor II. und Kaiser Leo III. haben den Durchschnitt ihrer eigenen Zeit, vor allem das trostlose Niveau der letzten Jahrzehnte, weit überragt und das neue Jahrhundert auf eine weltgeschichtlich bedeutsame Höhe gehoben. Der scharfe Zusammenprall von Kaisertum und Papsttum hat das Verhältnis der „beiden Gewalten“ aus der schleichenden Krisis der diplomatischen Fehden und halben Kompromisse zu einem schroffen Bruch getrieben, der das Gefüge der bisherigen Umwelt des Papsttums auseinandersprengte, ihm gleichzeitig aber auch den Weg ins Freie öffnete.

Der Versuch Leos III., durch Drohungen seinem Bilderedikt Nachdruck zu verschaffen, führte in Italien zu hellem Aufruhr. Wie weit

---

[149] Liber Pontificalis I 396–414. – E. Caspar, Gregor II. und der Bilderstreit, in: Zeitschrift für Kirchengeschichte 52 (1933) 29–89. – Caspar II 643–664. – Haller I² 351–358. – Seppelt II² 85–98. – J. Guillard, Aux origines de l'iconoclasme: le témoignage de Grégoire II?, in: Travaux et Mémoires 3 (Paris 1968) 243 ff.

[150] Jaffé-E. nr. 2182.

die Neuorientierung der päpstlichen Kirchenpolitik bereits gediehen war, beweisen die beiden selbstbewußten Briefe, die Gregor II. mitten im Streit an Kaiser Leo III. richtete[151], damals der langobardischen Hilfe gewiß: „Wenn du dich brüstest und uns drohst, so haben wir nicht Not, mit dir zu ringen. Drei Meilen weit wird der Papst von Rom ins Land Campanien entweichen, dann wohlan!, jage den Winden nach! . . . Es bekümmert uns, daß die Wilden und Barbaren kultiviert geworden sind, und du, der Kultivierte, wild und kulturlos. Das ganze Abendland bringt dem Apostelfürsten Früchte des Glaubens dar, und wenn du Leute schickst zur Vernichtung der Bilder des heiligen Petrus, so sieh du zu!" Solche Zuversicht auf die Hilfe der früher so gefürchteten Germanen glaubte Gregor II. hegen zu dürfen, wenn er um sich blickte: „Das ganze Abendland hat auf unsere geringe Person seinen Blick gerichtet, und wenn wir dessen auch nicht würdig sind, so haben sie doch großes Vertrauen auf uns und auf den, dessen Bild du vernichten und verschwinden lassen willst, den heiligen Apostelfürsten Petrus, den alle Reiche des Westens als einen Gott auf Erden achten. Wenn du es wagen solltest, das zu erproben, so sind wahrlich die Leute des Westens gewillt, Recht zu schaffen denen des Ostens"[152]. Die Unzuverlässigkeit der langobardischen Politik mag den Papst wieder ernüchtert haben. Aber für seine Verbindung mit der germanischen Welt des Westens sprechen eindrucksvolle Zeugnisse. Sie beweisen die im Brief an den Kaiser gerühmte Verehrung der Germanen für den Apostelfürsten und Himmelspförtner Petrus, die auch dessen Nachfolger überstrahlt hat.

Papst Gregor III. (731–741)[153], ein Syrer von Geburt, versuchte zunächst den Kaiser von seiner bilderfeindlichen Haltung abzubringen. Auf einer stark besuchten römischen Synode, an der auch die Erzbischöfe von Ravenna und Grado teilnahmen, wurde im November 731 über alle Bilderstürmer das Anathem ausgesprochen[154]. Nachdem ein byzantinisches Flottenunternehmen gegen Italien ge-

[151] Jaffé-E. nr. 2180, 2182.

[152] Jaffé-E. nr. 2180.

[153] Liber Pontificalis I 415–425. – Caspar II 664–667. – O. Bertolini, Roma di fronte ai Longobardi e a Bisanzio, Bologna 1941, 453–477. – Haller I² 358–360. – Seppelt II² 214–221.

[154] Jaffé-E. p. 257 f.

scheitert war, führte der Kaiser gegen die wirtschaftlichen Interessen und das geistliche Ansehen der römischen Kirche einen schweren Schlag, indem er deren umfangreichen Grundbesitz in Unteritalien und Sizilien so stark mit Steuern beschwerte, daß dies fast einer Konfiskation gleichkam. Gleichzeitig wurden Süditalien mit Sizilien, Illyrien und Griechenland, die seit alters zum römischen Patriarchatssprengel gerechnet wurden, von Rom getrennt und der Jurisdiktion des Patriarchen von Konstantinopel unterstellt; dessen Patriarchat erstreckte sich nun über das ganze byzantinische Reichsgebiet, da gleichzeitig auch Isaurien aus dem Patriarchatsverband von Antiochien gelöst wurde. Der Patriarch von Konstantinopel war nun in Wirklichkeit ein ökumenischer Patriarch, der Reichspatriarch[155].

Unter Kaiser Konstantin V. Kopronymus (741–775) nahm der Bilderstreit im Osten noch heftigere, grausamere Formen an als bisher schon. Der Kaiser ließ die Bilderverehrung auf der als ökumenisch ausgegebenen, stark besuchten „Ikonoklastensynode" von Hiereia am Bosporus (754)[156] verurteilen, die heiligen Bilder zerstören und ihre Verteidiger mit Folter und Hinrichtung verfolgen. Gegen den Ikonoklasmus traten vor allem die Mönche auf. Johannes von Damaskus entwickelte eine Theologie der Bilderverehrung. Er begründete und rechtfertigte die Herstellung und Verehrung der heiligen Bilder aus der Menschwerdung Gottes im Gottmenschen Jesus Christus. Seine Lehre wurde die Grundlage der Lehraussagen des siebten Ökumenischen Konzils[157].

Erst nach dem Tod Kaiser Konstantins V., in der kurzen Regierung seines Sohnes, Leos IV., bahnte sich langsam ein Umschwung

---

[155] Caspar II 665–668. – V. Grumel verbindet diese harten kaiserlichen Maßnahmen mit der „Apostasie" des Papsttums vom byzantinischen Reich, d. h. mit der Verbindung Papst Stephans II. mit den Franken 753/54. Ostrogorsky übernahm diese Datierung. V. Grumel, L'annexion de l'Illyricum oriental, de la Sicile et de la Calabre au patriarcat de Constantinople, in: Recherches de science religieuse 40 (1952) 191–200; G. Ostrogorsky, Geschichte des byzantinischen Staates, München ³1963, 142.

[156] Vgl. Mansi XIII 204–364.

[157] H. Menges, Die Bilderlehre des hl. Johannes von Damaskus, Münster 1938. – J. M. Hoeck, Johannes von Damaskus, in: LThK V² 1023–1026. – H. G. Beck, Kirche und theologische Literatur im byzantinischen Reich, München 1959. – Ders., in: Handbuch der Kirchengeschichte III/1, 35, 55–61 (Lit.). – Handbuch der Ostkirchenkunde. Hrsg. v. E. von Ivánka u. a., Düsseldorf 1971.

der byzantinischen Politik an. Als seine Witwe, die Kaiserin Irene, 780 die Regentschaft für den unmündigen Sohn Konstantin VI. übernahm, schlug sie dem Abendland gegenüber, besonders zu den Franken, entschiedener neue Wege ein. Auch in der Religionspolitik wurde nun die bilderfeindliche Haltung geändert. Der Weg der Kaiserinwitwe führte über die Duldung zur völligen Wiederherstellung der Bilderverehrung. Tarasius wurde neuer Patriarch von Konstantinopel, ein entschiedener Bilderfreund, der den Kirchenfrieden mit dem Abendland aus Überzeugung anstrebte. Die politische Annäherung zwischen Byzantinern und Franken arbeitete der kirchlichen Einigung vor. Als der Frankenkönig Karl der Große 781 zum zweitenmal in Rom weilte, erschienen byzantinische Gesandte, um die Hand von Karls Tochter Rotrud für den jugendlichen Konstantin VI. zu erbitten. Die Verlobung kam zustande. Papst Hadrian I. (772–795)[158] wandte sich nach seinem eigenen Zeugnis wiederholt an die Kaiserin Irene und mahnte zur Wiederherstellung der Bilderverehrung. Patriarch Tarasius betrieb seinerseits die Berufung eines Reichskonzils, auf dem die bilderfeindlichen Beschlüsse der im Osten als ökumenisch bezeichneten Ikonoklastensynode von 754 aufgehoben und die Bilderverehrung allgemein wiederhergestellt werden sollten. Die Kaiserin Irene lud den Papst in einem Handschreiben ein, „als wahrer erster Bischof" zur Synode nach Konstantinopel zu kommen oder doch Legaten zu schicken[159]. Hadrian I. antwortete am 27. Oktober 785 voll Freude auf diese fromme Absicht der Kaiserin. Er begrüßte den Plan einer Synode, gab einen Überblick des bisherigen Verlaufes im Bilderstreit, rechtfertigte die Verehrung der heiligen Bilder in umfänglichen Belegen aus der Heiligen Schrift, den Vätern und aus der römischen Silvesterlegende, vergaß in dieser günstigen Gelegenheit auch nicht, den Primat der römischen Kirche über alle Kirchen zu betonen, weshalb ihr auch die Bestätigung der Synoden zukomme. Der Papst forderte die Rückgabe der Patrimonien des heiligen Petrus in Unteritalien und Sizilien, der Patriarchatsrechte Roms in Illyricum und tadelte die unkanonische Art, mit der man Tarasius als Laien auf den Patriarchenstuhl erhoben

---

[158] Liber Pontificalis I 486–523. – Haller I² 448–465, II² 1–16. – Seppelt II² 159–184. – E. Caspar, Das Papsttum unter fränkischer Herrschaft, Darmstadt 1956, 35–113 (Hadrian I. und Karl der Große).

[159] Mansi XII 984–986. – Dölger, Regesten Nr. 341.

habe; auch der Titel eines „ökumenischen Patriarchen" wurde gerügt[160].

In dem Schreiben des Papstes überwiegt die Freude darüber, daß nun die Griechen sich wieder zum römischen Glauben und Kirchenbrauch bekehren wollen. Die Wünsche und Forderungen Hadrians sind nicht als Bedingungen formuliert. Aber es zeigte sich in dem Schreiben Hadrians I. eine Sicherheit, die in der byzantinischen Epoche dem Papsttum fremd geworden war. Sankt Peter hatte an den Franken und an ihrem großen König Karl neuen sicheren Rückhalt gefunden[161]. Die päpstliche Antwort überbrachten der römische Archipresbyter Petrus und Abt Petrus vom Griechenkloster des heiligen Sabas in Rom. In dem päpstlichen Schreiben[162] ist nicht ausdrücklich davon die Rede, daß sie den Papst auf der anstehenden Synode vertreten sollen. Vielleicht sollten sie nur vorbereitende Verhandlungen führen. Jedenfalls nahmen die beiden Gesandten an der Synode teil, welche die Kaiserin Irene am 31. Juli 786 in der Apostelkirche zu Konstantinopel eröffnete. Doch Irene hatte ihre Macht überschätzt.

Die Kaiserin wußte sich mit Klugheit zu behaupten. Unterstützt vom Patriarchen Tarasius berief sie das Konzil, nachdem der erste Tagungsversuch schon in den Anfängen[163] am Widerstand der Bilderfeinde gescheitert war, für den Herbst 787 nach Nicaea[164]. Hier wurde in acht Sitzungen seit dem 24. September das siebte Ökumenische Konzil[165] durchgeführt. Nur die feierliche Schlußsitzung am 23. Okto-

---

160 Mansi XII 1056–1072. – Jaffé-E. nr. 2448, 2449 (Antwort an den Patriarchen Tarasius).

161 Dieses neue Sicherheitsgefühl, eingekleidet in Bilder, die mehr römischen Wunschvorstellungen als der Wirklichkeit entsprachen, tritt besonders gegen Ende des Papstschreibens deutlich hervor: „... sicut filius et spiritualis compater noster, dominus Carolus, rex Francorum et Langobardorum atque patricius Romanorum, nostris obtemperans monitis atque adimplens in omnibus voluntates, omnes Hesperiae occiduaeque partis barbaras nationes suo subiiciens regno adunavit; unde ... [beato Petro] perpetuo obtulit possidenda tam provincias, seu castra et cetera territoria, imo et patrimonia, quae a perfida Langobardorum gente detinebantur; sed et aurum atque argentum quotidie non desinit offerendo." Jaffé-E. nr. 2448.

162 Jaffé-E. nr. 2448.

163 Vgl. Dölger, Regesten Nr. 344.

164 Ebda. Nr. 346, 347.

165 Mansi XII 951–1154, XIII 1–485. – COD 131–156. – Hefele-Leclercq III 601–798. – E. Hammerschmidt, Eine Definition von „Hypostasis" und „Ousia"

ber 787, an der Konstantin VI. und Irene teilnahmen, wurde in den kaiserlichen Palast nach Konstantinopel verlegt. Die beiden päpstlichen Gesandten nahmen an der Synode teil. Die Leitung lag in den Händen des Patriarchen Tarasius. Die Versammlung verwarf die Ikonoklastensynode von 754 und billigte in ihrem Glaubensdekret[166] die Berechtigung der Bilderverehrung: Den Bildern Christi, Mariens, der Engel und der Heiligen gebührt ehrfurchtsvolle Verehrung, die sich auf die dargestellten Personen bezieht; die wahrhaftige Anbetung kommt aber nur der Gottheit zu. So hatte wieder auf einer Reichssynode der Glaube der römischen Kirche gesiegt. Die kirchliche Einheit mit der byzantinischen Reichskirche war wiederhergestellt.

Das Konzil erließ außerdem 22 Canones[167]. Die ersten sechs Ökumenischen Synoden wurden in der herkömmlichen Weise bestätigt, auch die Verurteilung des Papstes Honorius durch das sechste Allgemeine Konzil[168]. Etwa 350 Bischöfe waren erschienen, aus dem Abendland nur die beiden Vertreter des Papstes[169]. Alle unterschrieben das Protokoll, die beiden Römer an erster Stelle. Von einer noch notwendigen päpstlichen Bestätigung weiß das zweite Nicaenum sowenig wie die früheren Ökumenischen Synoden. In diesem Selbstverständnis fügten die versammelten Väter ihrem Glaubensdekret an: „Also bestimmen wir, daß diejenigen, die es wagen werden, anders zu denken oder zu lehren oder nach Art der gotteslästerlichen Häretiker die kirchlichen Überlieferungen zu beflecken ... ihre geistliche Würde verlieren, wenn sie Bischöfe oder Presbyter sind. Wenn es sich aber um Mönche oder Laien handelt, so sollen sie der

---

während des VII. allgemeinen Konzils, in: Ostkirchliche Studien 5 (1956) 52 bis 55. – H. G. Beck, in: Handbuch der Kirchengeschichte III/1, 40–43. – W. de Vries, Die Struktur der Kirche gemäß dem II. Konzil von Nicäa, in: Orientalia Christiana Periodica 33 (1967) 47–71. – Ders., Orient et Occident, Paris 1974, 221–244.

[166] Mansi XIII 373–380. – COD 133–137.

[167] COD 137–156.

[168] Auf diesem Ökumenischen Konzil wurde die Verurteilung des Papstes Honorius viermal bestätigt: In der 3. Sitzung wird er zweimal zu den Monotheleten gezählt (Mansi XII 1123, 1142), ebenso zweimal in der 7. Sitzung (Mansi XIII 377 B, 412 B). Kreuzer, Die Honoriusfrage 111.

[169] R. Bäumer, in: LThK VII² 967 f. Vgl. Handbuch der Kirchengeschichte III/1, 40 f. – J. Darrouzès, Listes épiscopales du concile de Nicée (787), in: Revue des études byzantines 33 (1975) 5–76.

Exkommunikation verfallen"[170]. Papst Hadrian I. erkannte das Konzil an, obwohl die Versammlung über die römische Forderung hinweggegangen war, die römischen Patrimonien in Unteritalien und Sizilien und die Patriarchenrechte in Illyricum zu restituieren[171].

Das zweite Nicaenum brachte im Westen ein folgenschweres Nachspiel. Der Frankenkönig Karl, der mächtigste Herrscher des Abendlandes, war nicht zur Synode eingeladen worden. Nur dem Bischof von Rom hatte man als dem Patriarchen des Westens, wie herkömmlich, eine Einladung geschickt. Karl sah darin eine Mißachtung, die er nicht ohne Antwort ließ. Das gute Einvernehmen mit dem byzantinischen Hof wurde durch neue Feindseligkeiten abgelöst. Aber auch auf kirchlichem Gebiet betrachtete sich Karl als Wortführer des Abendlandes ganz im Stil der christlichen Kaiser. Auf seinen Befehl und unter seiner persönlichen Anteilnahme verfaßte sein Hoftheologe Theodulf die Libri Carolini[172]. Darin wurden mit verletzender Schärfe die Beschlüsse von Nicaea kritisiert und abgelehnt, die allerdings in einer durchaus fehlerhaften, mißverständlichen Übersetzung von Rom ins Frankenreich geschickt worden waren. Die Libri Carolini geben sich bezeichnenderweise als Staatsschrift, als Werk Karls, „nach Gottes Willen Königs der Franken, der Gallien, Germanien, Italien und die angrenzenden Provinzen mit Gottes Hilfe beherrscht". Der Frankenkönig erscheint gleichberechtigt neben dem Basileus in Konstantinopel.

Den Hauptinhalt der Libri Carolini ließ Karl noch vor deren Abschluß in einem Capitulare zusammenfassen und durch den Abt Angilbert von Saint-Riquier dem Papst vorlegen, damit auch er die vermeintlichen Irrtümer der Synode von Nicaea verwerfe. Auf diese Demütigung antwortete Hadrian I. ruhig und sachlich[173]. Er verteidigte und rechtfertigte die Konzilsbeschlüsse, wies vor allem auf die notwendige Unterscheidung zwischen Anbetung und Verehrung hin, erklärte sich allerdings auch bereit, den östlichen Kaiser mit dem Anathem zu belegen, wenn er die römischen Forderungen auf Rückgabe der Patrimonien und Patriarchatsrechte weiterhin

---

[170] Mansi XIII 730.

[171] Haller II² 8, 519.

[172] MGConc. II. Suppl.: Libri Carolini. Hrsg. v. H. Bastgen, Hannover 1924. Zur Verfasserfrage: A. Freeman, in: Speculum 40 (1965) 203–289.

[173] Jaffé-E. nr. 2483.

unbeachtet lasse. Trotzdem wurde von Karl eine fränkische Reichssynode nach Frankfurt einberufen und von ihm persönlich geleitet (794). Nicht nur die Bischöfe aus dem weiten Bereich fränkischer Herrschaft nahmen daran teil, sondern auch englische Bischöfe, und auch der Papst hatte zwei Bischöfe als seine Vertreter entsenden müssen. Karl wollte eine Reichssynode des Westens abhalten, ein gleichwertiges Gegenstück zur Synode von Nicaea. Unter dem Vorsitz Karls des Großen und nach seinem Willen wurde in Frankfurt die Bilderverehrung abgelehnt, das nicaenische Konzil von 787 als nicht ökumenisch zurückgewiesen. Man verstand die Auffassung der östlichen Theologie nicht ganz. Die Ablehnung beruhte auf der fehlerhaften Übersetzung der nicaenischen Beschlüsse. Auch die päpstlichen Legaten stimmten den Frankfurter Beschlüssen zu. Das Ganze war eine tiefe Demütigung für die päpstliche Autorität. Doch verweigerte Hadrian I. schließlich doch die geforderte Exkommunikation der oströmischen Kaiser wegen ihrer Haltung in der Bilderfrage. Ein durchschlagender, bleibender Erfolg war der Synode von Frankfurt nicht beschieden. Sie erhielt auch im Abendland keine ökumenische Geltung, ist aber gleichwohl bedeutsam als Ausdruck synodalen Bewußtseins im fränkisch bestimmten Abendland des ausgehenden achten Jahrhunderts[174].

Konstantinopel 869/70

Die Ökumenischen Konzilien waren bisher einberufen worden, um die rechte Glaubenslehre festzustellen und aufgetretene Irrlehren zurückzuweisen. Aus gegebenen Anlässen hatten die Konzilien zudem Canones in Sachen der Kirchenverfassung, der Disziplin und des Kirchenbrauches erlassen. Auf diesem Hintergrund hebt sich das vierte Konzil von Konstantinopel — nur in der abendländischen Kirche sehr viel später den Ökumenischen Synoden als achte angereiht — deutlich ab: Hier ging es nicht um den wahren Glauben, sondern um den komplizierten Streit der Patriarchen Ignatius und Photius von Konstantinopel, um das Eingreifen der Päpste Nikolaus I. (858—867) und Hadrian II. (867—872) in diesen

[174] Haller II² 8—15, 519 f. (QQ.). — Seppelt II² 177—182. — E. Ewig, in: Handbuch der Kirchengeschichte III/1, 91—97.

Streit, letztlich nur um die Maßregelung und Absetzung des Patriarchen Photius.

Die Vorgeschichte des Patriarchenstreites und der Ablauf können hier nicht im einzelnen dargelegt werden[175]. Erhebliche Schuld lag sowohl auf Seiten der Patriarchen Ignatius und Photius, die schwerere bei Ignatius, als auch bei den einseitig und schlecht informierten Päpsten, denen die Notsituation in Konstantinopel günstig schien, ihre in der östlichen Kirche nie akzeptierten Vorstellungen vom römischen Vorrang zu demonstrieren. Im entscheidenden Augenblick ließen Patriarch Photius und die Päpste Nikolaus I. und Hadrian II. die gebotene Selbstbescheidung vermissen.

Das Konzil von 787 hatte der byzantinischen Kirche in der Bilderfrage nicht die erhoffte Beruhigung gebracht. In der ersten Hälfte des neunten Jahrhunderts lebte der Bilderstreit unter den Kaisern Leo V., Michael II. und Theophilus wieder auf, wenn auch nicht mehr in der früheren Schärfe. Verteidiger der Bilder und damit des zweiten Nicaenums waren Patriarch Nicephorus von Konstantinopel

---

[175] Unter den zahlreichen Untersuchungen zum Streit um Photius – zweifellos einen der bedeutendsten Patriarchen von Konstantinopel – gebührt den Forschungen von F. Dvornik ein besonderer Rang; knappe Würdigung (mit QQ. u. Lit.): F. Dvornik, Photios, in: LThK VIII² (1963) 484–488. Besonders seien genannt: F. Dvornik, The Photian Schism, Cambridge 1948; französisch: Le schisme de Photius, Paris 1950; ders., The Patriarch Photius in the Light of Recent Research. Berichte zum XI. Internationalen Byzantinistenkongreß (München 1958) Heft III, 2. Dazu in denselben Berichten die Korreferate v. P. Stéphanou u. K. Bonis, Heft VII, 17–26, und Diskussionsbeiträge zum XI. Internationalen Byzantinistenkongreß (München 1961) 41–54; zusammenfassende Behandlung der beiden Werke Dvorniks durch L. Nemec, Photius – Saint or Schismatic? in: Journal of Ecumenical Studies 3 (1966) 277–313. F. Dvornik, Photian schism, London 1970. Über den römischen Primat und Byzanz: F. Dvornik, The Idea of Apostolicity in Byzantium and the Legend of the Apostle Andrew, Cambridge (Mass.) 1958, 265–278. Ders., Byzance et la Primauté Romaine, Paris 1964; deutsch: Byzanz und der römische Primat, Stuttgart 1966, hier S. 115–144 über die Idee der Pentarchie, die alle Verteidiger der Bilderverehrer im 8./9. Jahrhundert vertreten haben, und über Photius und den römischen Primat. Unabhängig von Dvornik kam V. Grumel, ebenfalls um 1930, ebenfalls zu dem Ergebnis, daß das 2. Schisma des Photius Legende sei. In anderen Fragen gingen die Wege beider Forscher (und anderer) auseinander. Beste Übersicht bei H.-G. Beck, Die byzantinische Kirche im Zeitalter des photianischen Schismas, in: Handbuch der Kirchengeschichte III/1 (1966) 197–218 (mit QQ. u. Lit.), neuerdings bei H. Grotz, Erbe wider Willen. Hadrian II. (867–872) und seine Zeit, Wien-Köln-Graz 1970, 48–73, 91, 100–116, und D. Stiernon, Constantinople IV, Paris 1967; deutsch: Konstantinopel IV (Geschichte der ökumenischen Konzilien V), Mainz 1975 (QQ., Lit., Würdigung der neueren Untersuchungen u. Kontroversen, bes. S. 276 f., 354–356).

und besonders Theodor Studites. Den endgültigen Sieg des Nicaenums brachte die Synode des Jahres 843 unter der Kaiserin Theodora. Die Erinnerung daran bewahrt das „Fest der Orthodoxie", das die griechische Orthodoxie am ersten Fastensonntag feiert[176].

In der byzantinischen Kirchenpolitik dieser Zeit standen sich zwei Gruppen gegenüber: die Mönche, genauer: die Zeloten unter ihnen, und eine gemäßigte Richtung, welche eine Politik des Ausgleichs („oikonomia") anstrebte, repräsentiert vor allem durch den kaiserlichen Hof und den hohen, nicht-römischen Reichsklerus. Der Gegensatz schwelte auch nach der Beilegung der Bilderstreitigkeiten weiter und flackerte immer wieder auf. Die Studitenmönche betrachteten sich jetzt in steigendem Maß als Wächter über die Canones und auch über die Patriarchen. Patriarch Methodius von Konstantinopel belegte sie 845/46 erneut mit dem Bann[177]. Nach seinem Tod (847) gelang es der Mönchspartei, einen Vertreter ihrer Richtung auf den Patriarchenstuhl zu bringen: Ignatius, der sich durch sein Ungeschick ringsum Feinde schuf und nach dem Staatsstreich von 856 bald in eine unhaltbare Lage geriet. Er verstand sich wohl zu einem bedingten Rücktritt. Noch vor Weihnachten 858 wurde Photius per saltum zum neuen Patriarchen[178] geweiht. Die Ignatianer setzten ihn im Februar 859 ab und erklärten Ignatius als legitimen Patriarchen. Diese Herausforderung beantwortete Photius mit der förmlichen Absetzung des Ignatius auf einer gut besuchten Synode (etwa im März 859)[179]. Damit war das Schisma offenkundig.

In dieser Situation schickte Photius sein Antrittsschreiben[180] an die übrigen Patriarchen, auch an Papst Nikolaus I.[181] Gleichzeitig

---

[176] Über die 2. Phase des Bilderstreites: H.-G. Beck, in: Handbuch der Kirchengeschichte III/1, 48–55.

[177] V. Grumel, Les Regestes des actes du patriarcat de Constantinople, Fasc. 1–3, Kadiköy 1932–1947, nr. 434.

[178] H. Ahrweiler, Sur la carrière de Photius avant son patriarcat, in: Byzantinische Zeitschrift 58 (1965) 348–363.

[179] Grumel, Reg. nr. 459 f. – V. Grumel, La genèse du schisme photien, in: Atti del V Congresso internazionale di studi byzantini I (Rom 1939) 177–185. – Dvornik, Le schisme de Photius 77–89. – P. Stephanou, Les débuts de la querelle photienne vus de Rome et de Byzance, in: Orientalia Christiana Periodica 18 (1952) 270–280. – Ders., La violation du compromis entre Photius et les ignatiens, ebda. 21 (1955) 297–307.

[180] Migne PG 102, 585–593, 1017–1024. – Grumel, Reg. nr. 464.

[181] Liber Pontificalis II 151–172. – MGEp VI 257–690. – Haller II^2 68–117, 527–529. – Seppelt II^2 241–288, 433. – Stiernon, Konstantinopel IV, 31–88.

bat Kaiser Michael III. den Papst, Legaten nach Konstantinopel zu senden, da eine Synode die Reste des Ikonoklasmus beseitigen solle[182]. Der Papst schickte die Bischöfe Radoald von Porto und Zacharias von Anagni[183]. Auf einer Synode in der Apostelkirche (Anfang April 861)[184] sprachen auch die päpstlichen Legaten die Absetzung des Patriarchen Ignatius aus. Sie hatten damit wohl ihre Instruktion überschritten, aber nun war der Apostolische Stuhl zum Richter im Schisma geworden. Nikolaus I. sah darin zweifellos einen Erfolg seines Primatsanspruches, doch konnte er die Rückgabe des Illyricum nicht erreichen[185]. Als eine Gesandtschaft der Ignatianer unter Führung des Archimandriten Theognost in Rom erschien, änderte der Papst seine Haltung. Im Einfluß ihrer einseitigen Darlegungen[186] hielt er, wohl im August 863, eine Lateransynode, die den Patriarchen Photius und den Erzbischof Gregor Asbestas von Syrakus absetzte, die Absetzung des Patriarchen Ignatius für nichtig erklärte (in Wirklichkeit hatte er resigniert) und die päpstlichen Legaten vom Frühjahr 861 bestrafte[187]. Verletzende Schreiben zwischen Kaiser Michael III.[188] und dem Papst verschlimmerten die Situation. Das päpstliche Schreiben an den Kaiser[189] betonte mit Nachdruck die Privilegien der römischen Kirche, die Christus selbst dem heiligen Petrus gewährt und dieser an seine Nachfolger weitergegeben habe. Diese Rechte seien ewig während; sie könnten wohl verletzt, aber nicht aufgehoben werden. Die Darlegungen Nikolaus' I. entwickelten Gedankengänge weiter, wie sie seit Gelasius I. und Leo I. immer wieder in der römischen Argumentation auftauchen. Im Wesentlichen waren sie nicht neu, auch bisher nie von der gesamten Kirche anerkannt, am wenigsten im Osten. Aber wegen

---

182 Dölger, Regesten Nr. 457.

183 Text des 1. Briefes Nikolaus' I. an Michael III. (25. Sept. 860): Mansi XVI 59–64. – MGEp VI 433–439; deutsch bei Stiernon, Konstantinopel IV 289–293. Gleichzeitiger Brief an Photius: Mansi XV 168, XVI 78. – MGEp VI 440; deutsch bei Stiernon 293 f.

184 Mansi XVI 72 D. – MGEp VI 451.

185 F. Dvornik, La lutte entre Byzance et Rome à propos d'Illyricum au 9e siècle. Mélanges Diehl I (1930).

186 Vgl. Mansi XVI 295E – 301B.

187 Mansi XV 178B – 182D. – Migne PL 119, 850–855. – Narrationis ordo de Photii repulsione: MGEp VI 556–561.

188 Dölger, Regesten Nr. 464.

189 Mansi XV 187–216. – Migne PL 119, 926-962. – MGEp VI 454–487 (beste Ausgabe).

ihrer eindrucksvollen Formulierungen, die wohl auf Anastasius Bibliothecarius zurückgehen, wurden sie vor allem seit den Tagen Gregors VII. als historische Beweisstücke für den römischen Primat herangezogen. Der ganze Streitfall zwischen Rom und Konstantinopel stand zudem im Schatten der Oberhoheit im bulgarischen Missionsgebiet. Der Papst rechnete offenbar fälschlich das ganze Gebiet der Bulgarenherrschaft zum Illyricum.

Der Bulgarenfürst Boris erstrebte die Selbständigkeit seiner jungen Kirche. Weder der Papst noch Photius waren bereit, sie zu gewähren. Wegen ihrer pastoralen Klugheit werden die päpstlichen „Responsa ad consulta Bulgarorum" viel gerühmt; „man vergißt aber zu leicht die schwerwiegende Tatsache, daß es Papst Nikolaus I. ist, der hier ohne Rücksicht auf die Pflichten seines Amtes Riten der griechischen Kirche angriff, ja der Lächerlichkeit preisgab"[190]. Die Kirche von Konstantinopel sah hier einen Generalangriff auf ihren Ritus. Die Ausweisung der griechischen Missionare aus dem Bulgarenreich, die man vor allem auf römische Machenschaften zurückführte, erschien den orientalischen Bischöfen als Beleidigung des ganzen christlichen Ostens. Ein neues Verhandlungsangebot Nikolaus' I.[191], allerdings auf der Grundlage der Lateransynode von 863, wurde vom Kaiser und seinem Patriarchen abgelehnt.

Nun holte Photius zum scharfen Gegenschlag gegen Nikolaus I. aus: In einem feierlichen Rundschreiben[192] an die Patriarchen des Ostens erhob er den Ritenstreit in der Bulgarenmission zur Glaubensfrage, und auf einer von ihm berufenen Synode, die unter dem Vorsitz Kaiser Michaels III. und des Caesars Basilius tagte (August/September 867), wurde Papst Nikolaus I. abgesetzt und mit dem Anathem belegt[193]. An das fränkische Kaiserpaar Ludwig II. und Angilberga erging die Bitte, Nikolaus von seinem Stuhl zu vertreiben[194]. Doch ein neuer Staatsstreich – der skrupellose Basilius

[190] H.-G. Beck, in: Handbuch der Kirchengeschichte III/1, 203. – Zum Streit um das bulgarische Missionsgebiet vgl. Grotz, Erbe wider Willen, 100–116. – R. Browning, Byzantium and Bulgaria. A comparative study across the early medieval frontier, London 1975.

[191] Jaffé-E. nr. 2796.

[192] Migne PG 102, 721–741, Grumel, Reg. n. 481.

[193] Grumel, Reg. n. 482. – J. M. Sansterre, Les représentants des patriarcats au concile Photien d'août-septembre 867, in: Byzantion 43 (1973) 195–228.

[194] F. Dölger, Byzanz und die europäische Staatenwelt, Ettal 1953, 312 bis 315. – Grotz, Erbe wider Willen, 111.

der Makedoner ließ Michael III. umbringen und machte sich selbst zum Kaiser – brachte den Sturz des Patriarchen Photius und die Wiedereinsetzung des Ignatius im November 867.

Inzwischen war Nikolaus I. gestorben, ohne von seiner Absetzung in Konstantinopel noch Kunde erhalten zu haben. Dem neuen Kaiser Basilius I. war für sein Vorgehen gegen Photius an der päpstlichen Zustimmung sehr gelegen. Seine Beteuerungen, die Partei des Ignatius und des Photius sollten noch einmal angehört und dann die ganze Sache dem Urteil des Papstes überlassen sein, bezogen sich tatsächlich nur auf Voruntersuchungen. Die abschließende Behandlung sollte der Streitfall auf einer Synode in Konstantinopel finden. Beide Parteien schickten Gesandte nach Rom, doch war Photius – durch widrige Umstände bedingt – tatsächlich dort nicht vertreten.

Der führende Kopf der römischen Kirchenpolitik war in dieser Zeit Anastasius Bibliothecarius, ein scharfer Gegner des Photius. Hadrian II.[195] wurde durch die gegebenen Verhältnisse von vornherein gegen Photius festgelegt. Auf die salbungsvoll berechnenden, den Patriarchen Photius schwer verleumdenden Worte des kaiserlichen Gesandten antwortete der Papst, der die Fragwürdigkeit des Vorgehens gegen Photius offenbar gar nicht zu erkennen imstande war: „Photius, der keine Vollmacht hatte, konnte zwar gegen den Apostolischen Stuhl und den Papst einen Urteilsspruch vortäuschen, aber nicht wirklich über ihn zu Gericht sitzen. Er selbst ist aber vom Apostolischen Stuhl zweimal gerichtet und verurteilt worden. Und weil er in ungebührlicher Anmaßung sich nicht scheute, gegen unseren heiligen Vater Nikolaus Falsches daherzureden, und weil er sein Maul gegen den Himmel erhob, soll dieser Lügenerfinder und Glaubensverfälscher ein drittes Mal verdammt werden“[196].

Auf der Synode, die Hadrian II. Anfang Juni 869 in der Peterskirche hielt, ging es nicht um Untersuchung und Anhörung der

---

[195] Duchesne, Liber Pontificalis II 173–190, III 125 f. – Haller II² 117–139, 529–533. – Seppelt II² 289–306, 433 f. – G. Schwaiger, Hadrian II., in: LThK IV² 1306 f. – H. Grotz, Erbe wider Willen. Hadrian II. (867–872) und seine Zeit, Wien-Köln-Graz 1970. Hier auch ausführliche Darstellung der Auseinandersetzungen zwischen Rom und Konstantinopel.

[196] Liber Pontificalis II 178.

Parteien, sondern nur um Vergeltung für die Synode des Photius von 867. Photius wurde in feierlicher Form abgesetzt. Auch alle, welche die Akten dieser Synode unterschrieben hatten, und alle von Photius Geweihten traf ein hartes Urteil: Die Lossprechung der Teilnehmer an der Synode von 867 ist dem Papst persönlich vorbehalten. Alle von Photius Geweihten sind als abgesetzt zu betrachten. Bischöfe, die von Ignatius geweiht sind, aber sich in der Folgezeit Photius angeschlossen hatten, werden nur dann wieder in ihr Amt eingesetzt, wenn sie einen in Rom ausgefertigten libellus satisfactionis unterschrieben haben. Die Akten der östlichen Synode von 867 wurden zu Boden geworfen und mit Füßen getreten. Dann schleuderte sie der Papst eigenhändig die Stufen der Petersbasilika hinab. Die Fetzen hat man über einem Holzstoß verbrannt; weil sie im strömenden Regen brannten, sah man darin eine wunderbare Bestätigung des Himmels[197].

Nach diesen Ereignissen schien zwischen Rom und Konstantinopel eine Eintracht erzielt, wie sie seit dem Beginn des Bilderstreites oder doch seit dem zweiten Konzil von Nicaea nicht mehr bestanden hatte. Man vereinbarte ein Ökumenisches Konzil in Konstantinopel, das den römischen Urteilsspruch über Photius bekräftigen und der ganzen Christenheit bekanntmachen sollte. Der Papst schickte als Legation die Bischöfe Donatus von Ostia und Stephanus von Nepi sowie „seinen lieben Sohn", den römischen Diakon Marinus, den späteren Papst[198]. Sie wurden im Osten mit byzantinischen Ehren empfangen, sollten aber sehr bald fühlen, daß der Kaiser sie nur als seine Werkzeuge zu gebrauchen gedachte.

Die „ökumenische" Synode wurde am 5. Oktober 869 in der Hagia Sophia eröffnet und am 28. Februar 870 beschlossen. Die Originalakten sind verloren. Unsere Kenntnis der Verhandlungen und Ereignisse geht fast ausschließlich auf Anastasius Bibliothecarius zurück, den gewandten Mann der päpstlichen Kanzlei griechischer Herkunft. Er war nach dem Tod Papst Leos IV. als kaiserlicher Gegenpast aufgetreten (855) und befand sich nun im Auftrag Kaiser Ludwigs II. in Konstantinopel, wo er sich den römischen Legaten nützlich zu machen wußte. Die Synodalakten von 869/70

---

[197] Mansi XVI 121–131, 372–380. – Jaffé-E. p. 370 f. – Liber Pontificalis II 179. – Grotz 182–190.

[198] Jaffé-E. nr. 2914.

sind nur in seiner lateinischen Übersetzung[199] und in einer griechischen Epitome[200] erhalten.

Die päpstlichen Legaten hatten die Weisung, den Vorsitz der Synode zu übernehmen. Sie erhielten einen hervorragenden Platz[201]. Die tatsächliche Leitung übernahm, wie herkömmlich, ein kaiserlicher Kommissär, der Patricius Baanes, an der Spitze einer Kommission kaiserlicher Beamter. Zu mehreren Sitzungen erschien der Kaiser persönlich und führte dann den Ehrenvorsitz. Kaiser Basilius hatte den gesamten Episkopat des Ostens nach Konstantinopel einberufen. Über seine Wünsche konnte niemand im Zweifel sein. Die eintreffenden Bischöfe durften erst dann an den Sitzungen teilnehmen, wenn sie eine eigenhändig unterschriebene Erklärung unterzeichnet und eingereicht hatten[202]. Die bereits zugelassenen Synodalen hatten jeweils über die Zulassung weiterer Mitglieder der Synode zu entscheiden. So bestand die ganze Synode anfänglich nur aus dem Patriarchen Ignatius, den päpstlichen Legaten, den Vertretern der Patriarchate von Antiochien und Jerusalem und der kaiserlichen Kommission unter Führung des Baanes. Die östlichen Bischöfe zeigten zunächst keine große Neigung, an dieser zweifelhaften Versammlung teilzunehmen, waren sie doch durch die Forderungen der letzten römischen Synode größtenteils unmittelbar betroffen. Niemand konnte wissen, ob nicht erneut ein Umschwung eintreten werde. Schließlich wußte jedermann im Osten, daß der gegenwärtige Kaiser Basilius an der Synode des Patriarchen Photius

---

[199] Mansi XVI 1–208.

[200] Vgl. COD 157–186. – Hefele-Leclerq IV 481–546. – Dictionnaire de Theologie Catholique III (1908) 1273–1307 und XII (1935) 1549–1582. – Haller II² 121–124. – Seppelt II² 296–298. – H.-G. Beck, in: Handbuch der Kirchengeschichte III/1 (1966) 197, 206–208. – W. de Vries, Die Struktur der Kirche gemäß dem IV. Konzil von Konstantinopel, in: Archivum Historiae Pontificiae 6 (1968) 7–42. – Ders., Orient et Occident, Paris 1974, 245–282.– Grotz, Erbe wider Willen, 210–235. – D. Stiernon, Constantinople IV, Paris 1967. Deutsch: Konstantinopel IV, Mainz 1975 (Geschichte der ökumenischen Konzilien V; mit QQ. u. Lit.).

[201] Donatus unterschrieb später: „Ego Donatus gratia Dei episcopus sanctae Ostiensis ecclesiae, locum obtinens domini mei Hadriani summi pontificis et universalis papae, ... huic sanctae et universali synodo praesidens ...“. Mansi XVI 189.

[202] Dies war eine Forderung der römischen Legaten auf Weisung Hadrians II. Der Kaiser und Patriarch Ignatius zeigten sich davon überrascht. Liber Pontificalis II 180 f. Text des „libellus satisfactionis“ bei Mansi XVI 27 f., deutsch bei Stiernon 311–313.

vom Sommer 867 teilgenommen und ihre Akten unterzeichnet hatte, auch wenn dies neuerdings als Fälschung oder Täuschung ausgegeben wurde.

Die Teilnehmerzahlen vermitteln ein anschauliches Bild davon, wie es um die „Ökumenizität" der Synode wirklich stand: In der ersten Sitzung waren nur zwölf Bischöfe anwesend. Erst in der neunten Sitzung zählte man sechsundsechzig Bischöfe, erst in der Schlußsitzung hundertdrei. Vor allem die Unterzeichnung des von den Römern geforderten libellus stieß begreiflicherweise auf den größten Widerstand. Die päpstlichen Legaten zeigten sich unnachgiebig. Dabei bestand der Grundstock des libellus aus der Regula Hormisdae – Papst Hormisdas (514–523) hatte diese schroffe Glaubensformel[203] einst angewandt, um Häretiker des Akazianischen Schismas zur Orthodoxie zu bekehren und zur Anerkennung des römischen Primates zu zwingen. Einzelne Bischöfe konnten darauf hinweisen, Papst Nikolaus I. habe im Jahr 860, lange Zeit nach dem Patriarchenwechsel, mit ihnen Kirchengemeinschaft gepflogen. Sie riefen den römischen Legaten Marinus dafür zum Zeugen an, der in subtile Unterscheidungen auswich.

In diesem würdelosen Spiel der Mächte und Interessen bestand schließlich der Kaiser darauf, den Photius zu hören. Der Expatriarch wurde vor die Versammlung zitiert, verzichtete aber selbstbewußt auf jede Verteidigung. Der Kaiser und so viele Bischöfe mußten am besten wissen, was vorgegangen war. Als sich ein Bischof erhob, um für Photius zu sprechen, schnitten ihm die päpstlichen Legaten das Wort ab. Sie bestanden auf der römischen Forderung, daß der Fall des Photius nicht neu verhandelt werden dürfe, sondern die in Rom gefällte Entscheidung angenommen werden müsse. An diesem Auftrag hielten sie fest, um nicht hinterher in Rom das Schicksal der Legaten von 861 (Radoald und Zacharias) zu erfahren. Aber die kaiserlichen Kommissare erzwangen schließlich trotz zähen Widerstandes der Legaten die Neuverhandlung des Falles, um wenigstens notdürftig den Schein des herkömmlichen Synodalrechtes zu wah-

---

[203] Text: Collectio Avellana n. 149 (CSEL 35). – Rh. Haacke, Die Glaubensformel des Papstes Hormisdas im Acacianischen Schisma, Rom 1939. – Das Vaticanum I griff in der Konstitution „Aeterni Patris" auf diese Formulierungen zurück.

ren[204]. Ein Großteil der orientalischen Bischöfe zweifelte gerade deshalb an der Rechtmäßigkeit des römischen Urteils, weil die Partei des Photius in Rom nicht vertreten war. Dasselbe Bewußtsein steht im abschließenden Rundschreiben der Synode an die ganze Kirche unmißverständlich klar: Die Entscheidung der Synode ist nicht eine bloße Übernahme und Bestätigung der römischen Sentenz, sondern ein eigenständiges Urteil auf Grund einer neuen Untersuchung des Falles Photius[205].

Auf den letzten Sitzungen wurden noch Zeugen gegen den bereits gerichteten Photius der Versammlung vorgeführt, deren Aussagen alles andere als glaubwürdig klingen. Auf der abschließenden zehnten Sitzung (28. Februar 870) wurden siebenundzwanzig Canones[206] und ein umfangreiches Glaubensbekenntnis[207] angenommen. Darin wurde Photius mit dem Anathem belegt. Von seinen Anhängern traf die Kleriker dauernde Absetzung, die Mönche und Laien verfielen der Exkommunikation. Im Glaubensbekenntnis des Konzils wurden alle früheren Häretiker und Schismatiker erneut verdammt, unter ihnen wieder Papst Honorius mit Namen[208]. Der Kaiser ließ ein Dekret verlesen, das jeden nachträglichen Widerstand gegen die Synode mit schweren Strafen bedrohte. Dann folgte der abschließende Ruf: „Ewiges Gedenken dieser heiligen und großen achten Allgemeinen Synode“[209]! Aber die Erfüllung dieses frommen Wunsches hat wieder ihre eigene Geschichte.

Die römischen Legaten konnten selbst ihres Teilerfolges nicht lange froh werden. Sie hatten zwar die feierliche Verurteilung des Photius nach päpstlichem Auftrag erreicht, doch nicht einfach die Übernahme der römischen Sentenz ohne neue Untersuchung. Canon 21 setzte Konstantinopel erneut an die zweite Stelle –

---

[204] Mansi XVI 53–59.
[205] Mansi XVI 196–200.
[206] COD 166–186.
[207] COD 160–166.
[208] „... cum praedictis synodis consonantem et eadem sentientem sanctam et universalem sextam synodum suscipientes, quae in unius Christi duabus naturis consequenter etiam duas operationes ac totidem voluntates sapienter asseveravit; anathematizamus autem Theodorum qui fuit episcopus Pharan, et Sergium et Pyrrhum et Paulum et Petrum impios praesules Constantinopolitanorum ecclesiae, atque cum eis Honorium Romae ...“ COD 161 f.
[209] Mansi XVI 185 f.

nach Rom — in der Reihenfolge der Patriarchensitze[210]. Durch die ganzen Verhandlungen zieht sich die Vorstellung der Pentarchie, des besonderen Vorranges der fünf Patriarchenstühle, unter denen Rom unbestritten den ersten Platz einnimmt. Aber der eigentliche Mißerfolg kam für die Legaten wenige Tage nach Abschluß der Synode.

Bereits an der Schlußsitzung nahm eine Gesandtschaft des Bulgarenreiches teil. Die Vertreter begehrten zu wissen, welchem Patriarchat sie zugehörten. Auch der Papst hatte ihrem König Boris einen Erzbischof eigener Wahl verweigert und damit die Autokephalie-Bestrebungen abgewiesen wie früher der Patriarch von Konstantinopel. Der Kaiser sorgte dafür, daß diese Frage nicht mehr auf dem Konzil, sondern einige Tage später auf einer Konferenz der östlichen Patriarchate unter seinem Vorsitz entschieden wurde: das Bulgarenreich wurde dem Patriarchat Konstantinopel zugewiesen. Über den heftigen Protest der päpstlichen Legaten schritt man hinweg. Patriarch Ignatius wich diplomatisch aus, als die Legaten einen Brief Papst Hadrians vorwiesen, der ihm jede Einmischung in Bulgarien verbot.

In den Verhandlungen über die Bulgarenmission kam es zu heftigen Auftritten zwischen den päpstlichen Legaten und den Vertretern der östlichen Patriarchate. Sofort trat wieder die tiefe Entfremdung zutage, die seit Jahrhunderten zwischen dem römisch orientierten Westen und dem byzantinischen Osten gewachsen war. Die Legaten riefen den Vertretern der Patriarchate erregt zu: „Der Heilige Stuhl, mit dem ihr durchaus nicht gleichsteht, hat euch in seinen Angelegenheiten nicht nach euerem Urteil gefragt. Auch wir werden euch nicht danach fragen. Der Heilige Stuhl allein hat das Recht, in gesamtkirchlichen Fragen zu entscheiden." Hier wurde die römische Auffassung von dem Vorrecht des eigenen Sitzes klar ausgesprochen, nur — der gesamte Osten hatte diese Doktrin nie anerkannt. Darin waren sich alle östlichen Patriarchate einig, und gerade die Ökumenischen Synoden sind wohl das stärkste Argument

---

[210] „... definimus, neminem prorsus mundi potentium, quemquam eorum qui patriarchalibus sedibus praesunt inhonorare, aut movere a proprio throno tentare, sed omni reverentia et honore dignos iudicare: praecipue quidem sanctissimum papam senioris Romae, deinceps autem Constantinopoleos patriarcham, deinde vero Alexandriae, ac Antiochiae, atque Hierosolymorum." COD 182.

gegen diese römische Doktrin. Zornig schleuderten nun die Vertreter der Patriarchate den päpstlichen Gesandten entgegen: „Ihr habt das griechische Reich verraten und haltet zu den Franken. Darum ist es untragbar, daß ihr Verfügungsrechte innerhalb des Reiches unseres Herrschers behaltet. Soeben haben wir festgestellt, daß Bulgarien unter griechischer Hoheit stand und griechische Priester hatte. Darum ist unser letztes Wort: Bulgarien ist durch [den Einbruch des] Heidentums von der Kirche Konstantinopels getrennt worden und kehrt jetzt durch das Christentum wieder zu ihr zurück." Die Legaten schrien ihnen zu: „Dazu habt ihr kein Recht! Nur Angst oder Gefallsucht oder wer weiß was sonst läßt euch so vorwitzig reden. In der Autorität des Heiligen Stuhles erklären wir eueren Beschluß für null und nichtig und verweisen auf eine endgültige Stellungnahme des Heiligen Stuhles." Aber das Gebiet der Bulgaren blieb für die römische Jurisdiktion verloren. Die römischen Missionare mußten das Bulgarenreich verlassen wie vordem auf römisches Betreiben die Griechen. In der Tat hatte nur ein geringer Teil des Bulgarenreiches früher dem päpstlichen Vikariat von Thessalonike unterstanden, der größere Teil hatte unbestritten zum Patriarchat Konstantinopel gehört. Patriarch Ignatius weihte noch im Jahre 870 einen Metropoliten und übertrug ihm die Leitung der bulgarischen Kirche[211].

Die päpstlichen Legaten hatten mit der Verurteilung des Photius ihre Schuldigkeit für den Kaiser Basilius getan. An ein Zugeständnis an römische Ansprüche dachte er so wenig wie die östlichen Patriarchen. Die Legaten wurden noch höflich verabschiedet, mit unhöflich kleinem Geleit nach Dyrrhachium ans Meer geleitet und dann ihrem Schicksal überlassen. Bei der Überfahrt nach Brundisium fielen sie Seeräubern in die Hände, die ihnen alle Dokumente und Wertsachen abnahmen, auch die Geschenke des Kaisers. Manches deutet darauf hin, daß dieser Piratenüberfall im Einvernehmen mit Basilius I. geschah, der immerhin zwei Kaiser ohne Skrupel umgebracht hatte. Die Legaten wurden auf Verwendung des Kaisers Basilius zwar wieder freigelassen, doch die wichtigen Dokumente

---

211 Duchesne, Liber Pontificalis II 182–185. – Grotz, Erbe wider Willen, 207 bis 210, 224–231. – H.-D. Döpmann, Die Bedeutung Bulgariens für die östliche und westliche Christenheit. Ein Beitrag zur Geschichte des photianischen Schismas, Berlin 1965.

ihrer östlichen Legation erhielten sie nicht mehr zurück. Mit leeren Händen kehrten sie am 22. Dezember 870 nach Rom zurück, überlistet und ausgeplündert[212]. Anastasius Bibliothecarius hatte sich als Mitglied der Gesandtschaft Kaiser Ludwigs II. bereits in Konstantinopel eine Abschrift der ganzen Synodalakten angefertigt. Er brachte seine Schriftstücke wohlbehalten nach Rom, noch ehe die Legaten Papst Hadrians zurückkehrten. Bald erhielt er am päpstlichen Hof wieder die frühere einflußreiche Stellung[213].

Die klägliche Heimkehr der päpstlichen Legaten erscheint als bezeichnendes Schlußstück des Konzils von 869/70. Diese Synode war ein würdeloses Trauerspiel, das in der Geschichte der Allgemeinen Konzilien in die Nähe der Räubersynode von 449 gehört. Einem großen Teil der orientalischen Bischöfe, besonders des hohen byzantinischen Klerus, galt sie von Anfang an nicht als wahrhaft „ökumenisches" Konzil, sondern als Demütigung der byzantinischen Kirche, als Verrat ihrer Freiheit[214]. Photius kam allmählich zu neuem Einfluß. Er kehrte aus dem Exil zurück und wurde zum Erzieher der kaiserlichen Prinzen bestellt. Offensichtlich kam eine Aussöhnung mit Ignatius zustande. Als dieser im November 877 starb, konnte Photius ohne Schwierigkeiten den Patriarchenstuhl von Konstantinopel wieder einnehmen.

Kaiser Basilius war noch vor dem Tod des Patriarchen Ignatius in neue Verhandlungen mit Rom eingetreten, um die andauernden Spannungen in der byzantinischen Kirche zu beheben. Das Konzil von 869/70 hatte nicht zum Frieden geführt. Papst Johannes VIII. (872—882) zeigte sich zu Entgegenkommen bereit. Das Absetzungsurteil über Photius war durch eine Großsynode ausgesprochen worden und sollte daher durch eine neue Synode aufgehoben werden. Papst Johannes schickte als seine Legaten die Bischöfe Paul von Ancona und Eugen von Ostia nach Konstantinopel[215], die aber den Patriarchen Ignatius nicht mehr lebend antrafen. Der Kaiser bat den Papst um Anerkennung des Patriarchen Photius[216]. Nach Beratung

---

[212] Mansi XVI 29E — 30A. — Duchesne, Liber Pontificalis II 184 f. — Grotz, Erbe wider Willen, 231—235. — Stiernon, Konstantinopel IV 194—196.
[213] Mansi XVI 9 BC.
[214] Beck, in: Handbuch der Kirchengeschichte III/1, 208.
[215] MGEp VII 64.
[216] Dölger, Regesten Nr. 497.

auf einer römischen Synode schickte der Papst den Kardinal Petrus, der mit den beiden anderen Legaten die römische Kirche auf dem neuen Konzil vertreten sollte. In seinem Schreiben an den Kaiser erklärte er sich bereit, den Photius als Patriarchen anzuerkennen. Auf Grund der ihm zustehenden Gewalt zu binden und zu lösen seien die gegen Photius und seine Anhänger im Episkopat verhängten Zensuren aufgehoben. Photius wird getadelt, weil er ohne Genehmigung des Papstes seinen Sitz eingenommen habe; er müsse vor der Synode um Verzeihung bitten, für seine früheren Vergehen Genugtuung leisten und dürfe in Bulgarien nicht weiter Jurisdiktionsrechte ausüben. Diese Bedingungen wiederholte der Papst in seinen Schreiben an Photius selbst und an den Episkopat des Ostens; mit größter Eindringlichkeit waren sie in dem Commonitorium formuliert, das der Papst dem Kardinal Petrus mitgab[217].

In Konstantinopel mußten sich die päpstlichen Legaten überzeugen, daß die Wirklichkeit wieder einmal nicht den römischen Vorstellungen entsprach. Photius war als Patriarch allgemein anerkannt und erfreute sich wegen seiner Bildung, Umsicht und Frömmigkeit hohen Ansehens. Er dachte nicht daran, um Verzeihung zu bitten, da er mit guten Gründen seine Maßregelung durch die Päpste Nikolaus I. und Hadrian II. für unrecht hielt. In der Bulgarenfrage konnte er mühelos nachweisen, daß er schon Papst Nikolaus gegenüber für sich keinerlei Ansprüche erhoben habe; die Verantwortung trage die kaiserliche Politik.

Die große Synode wurde Anfang November 879 unter dem Vorsitz des Patriarchen Photius in der Hagia Sophia eröffnet. Fast vierhundert Bischöfe nahmen teil. Schon dadurch hob sich dieses Konzil wirkungsvoll von der Versammlung von 869/70 ab. Zu verhandeln gab es wenig, da Photius schon zu Beginn als anerkannter Patriarch auftreten konnte. Als die römischen Legaten auftragsgemäß vorbrachten, daß Photius ohne Verständigung mit dem Papst den Patriarchenstuhl eingenommen habe, wurde der Rechtsstandpunkt der östlichen Kirche betont, daß diese ihre Bischöfe und Patriarchen herkömmlich ohne Mitwirkung Roms bestimme; zudem werde Photius fast einmütig von den Bischöfen und dem übrigen Klerus

---

[217] Die päpstlichen Schreiben (vom 16. August 879) bei Jaffé-E. nr. 3271 bis 3276. –MGEp VII 167–190. Vgl. Stiernon, Konstantinopel IV, 207–218. – Auszüge aus dem Commonitorium (MGEp VII 1887 f.) ebda. 340 f.

als Patriarch anerkannt. Auf die im Commonitorium geforderten Bußleistungen hatten die Legaten wohl bereits in Vorverhandlungen verzichtet, da die Durchführung völlig aussichtslos erscheinen mußte. Das römische Commonitorium wurde nun in einer erheblich gemilderten Übersetzung vorgelesen. Auf Antrag des Patriarchen Photius wurde die zweite Synode von Nicaea (787) als siebtes Ökumenisches Konzil anerkannt. Dagegen wurden die Synoden, die Photius verurteilt hatten, verworfen. Davon war vor allem die Synode von Konstantinopel 869/70 mit ihren harten Bestimmungen betroffen, die infolgedessen von den orthodoxen Ostkirchen bis heute nicht anerkannt wird. In der Bulgarenfrage erklärte sich die Versammlung als nicht zuständig. Die Synodalarbeit schloß mit der fünften Sitzung am 26. Januar 880. Alle Teilnehmer, auch die päpstlichen Legaten, unterzeichneten die Beschlüsse. Kaiser Basilius I. hatte wegen der Hoftrauer – sein ältester Sohn war gestorben – an den Sitzungen der Synode nicht persönlich teilgenommen. Deshalb begab sich eine Abordnung der Synode mit den päpstlichen Legaten in den Kaiserpalast. Hier fand eine Sitzung in kleinem Kreis statt und hier unterzeichnete Basilius die Synodalakten. Das Glaubensbekenntnis der Synode wurde mit einer Ergänzung promulgiert, die jede Änderung und jeden Zusatz am nicaeno-konstantinopolitanischen Symbolum mit dem Anathem bedrohte; gemeint war damit das Filioque der fränkischen Missionare im Bulgarenreich, doch wurde die dogmatische Seite nicht erörtert. Mitte März 880 stimmte eine Vollsitzung in der Sophienkirche dem einmütig zu. Damit wurde die Synode nach insgesamt sieben Sitzungen abgeschlossen[218].

Die päpstlichen Legaten kehrten nicht ohne Bedenken nach Rom zurück. Johannes VIII. erkannte die neuen Verhältnisse in Konstantinopel an, wenn es ihm auch offensichtlich schwerfiel, daß verschiedene päpstliche Forderungen nicht hatten durchgesetzt werden können. Er ratifizierte die Synodalbeschlüsse mit dem vorsichtigen Zusatz, daß er alles verwerfe, was seine Legaten gegen die apostolischen Vorschriften getan hätten[219]. Im Wesentlichen hatte

---

[218] Mansi XVII 373–524. – Hefele-Leclercq IV 585–606. – Beck, in: Handbuch der Kirchengeschichte III/1, 208–212 (Lit.). – Stiernon, Konstantinopel IV, 219–232 (Lit.).

[219] MGEp VII 227 f.

sich die Rechtsauffassung der östlichen Kirche behauptet. Der Papst drückte seine Freude darüber aus, daß endlich Friede und Eintracht in der Kirche wiederhergestellt seien[220]. Dieses Bewußtsein konnte ihn über die Einbuße päpstlicher Autorität hinwegtrösten. Die tatkräftige Mithilfe der Byzantiner gegen die schwere Sarazenengefahr in Unteritalien erleichterte ihm diese Haltung. Früher ist vielfach behauptet worden, der Patriarch Photius sei später von Johannes VIII. oder seinen Nachfolgern erneut mit dem Bann belegt worden. Davon kann keine Rede sein. Die Abwehr der Sarazenen verband den Papst in enger Zusammenarbeit mit Kaiser Basilius. Als Johannes VIII. starb, feierte ihn Photius mit hohen Lobsprüchen. Unter den Kaisern der Makedonen-Dynastie gewann das byzantinische Reich politisch und kulturell neue Kraft; sie konnten ihren Einfluß in Süditalien und auf dem Balkan wieder festigen. Eine gewaltige Leistung vollbrachte die byzantinische Kirche schließlich in der Missionierung Rußlands. Photius bemühte sich eifrig um die Ausbreitung des Christentums. Nach dem Tod des Kaisers Basilius (886) fiel der Patriarch beim neuen Kaiser Leo VI. bald in Ungnade; er wurde erneut abgesetzt und verbannt. Gegen Ende des neunten Jahrhunderts beschloß Photius in einem entlegenen Kloster seine Tage[221].

Das Papsttum ging – von den Einfällen der Sarazenen hart betroffen, durch die zerfallende fränkische Macht kaum mehr geschützt – einer seiner dunkelsten Epochen entgegen. Erst die erstarkenden Reformbewegungen und die tatkräftige Hilfe der römisch-deutschen Könige und Kaiser leiteten im 10./11. Jahrhundert einen neuen Aufstieg ein. Nur einer unverdrossenen, ständigen Anstrengung liebenden Verstehens im Westen und Osten wäre es wohl möglich gewesen, die tödlich gefährdete Einheit zwischen Rom und Konstantinopel zu bewahren und wieder mit echtem Leben zu erfüllen. Dazu fehlten im Frühmittelalter auf beiden Seiten die

---

220 MGEp VII 229 f. – Migne PL 126, 909 f.

221 V. Grumel, Y eut-il un second schisme de Photius? In: Revue des sciences philosophiques et théologiques 32 (1933) 432–457. – Ders., La liquidation de la querelle photienne, in: Échos d'Orient 33 (1934) 257–288. – F. Dvornik, Le second schisme de Photius – une mystification historique, in: Byzantion 8 (1933) 425–474. – Vgl. H.-G. Beck, Handbuch der Kirchengeschichte III/1, 211–218. – B. Schultze, Das Weltbild des Patriarchen Photios nach seinen Homilien, in: Kairos 15 (1973) 101–115. – Stiernon, Konstantinopel IV, 232–248.

Männer und die notwendigen kirchenpolitischen Voraussetzungen. Was den Zeitgenossen noch nicht bewußt wurde, sollte die Zukunft erweisen: mit dem gescheiterten Friedensversuch, mit der wechselseitigen Exkommunikation von 1054 war die Trennung der West- und Ostkirche dauernd geworden. Nur Teil-Unionen kamen noch zustande. Alle späteren Versuche, diese beklagenswerteste Spaltung der Christenheit zu überwinden, sind bis heute gescheitert[222].

Ergebnisse

In der Rückschau auf die Ökumenischen Konzilien des ersten Jahrtausends der Kirchengeschichte läßt sich – bei mancher Differenzierung im konkreten Einzelfall – Folgendes aussagen:

1. Entstehung, Anlaß und Aufgabe der Synoden:

Das synodale Leben in der Kirche entwickelt sich aus praktischen Notwendigkeiten, wenn es gilt, den rechten Glauben gegen abweichende Meinungen festzustellen und den Kirchenbrauch einer Region einheitlich auszurichten. Die Synoden erklären sich aus dem Bewußtsein der Zusammengehörigkeit der christlichen Gemeinden und aus der gemeinsamen Verantwortung. Die Bischofssynoden der einzelnen Regionen verstehen sich als die befugten Organe, im Namen und in der Autorität des Bischofskollegiums der Gesamtkirche zu handeln. Die Beschlüsse werden anderen Bischöfen lediglich mitgeteilt. Die auf der Synode versammelten Bischöfe beanspruchen und üben eine Autorität über den einzelnen Bischof und seine Gemeinde. Die Autorität der vornicaenischen Synoden hängt letztlich davon ab, ob die Beschlüsse von der Gesamtkirche angenommen werden. Die Entscheidung Kaiser Konstantins für das Christentum und die schrittweise Durchsetzung des Christentums als der Reichsreligion ermöglicht seit dem vierten Jahrhundert die Abhaltung von Großsynoden. Ihren Anlaß bilden kirchliche Meinungsverschiedenheiten, besonders in der Frage des rechten Glau-

[222] Vgl. W. de Vries, Rom und die Patriarchate des Ostens, Freiburg-München 1963.

bens. Ähnlich wie die früheren regionalen Bischofssynoden stellen die Großsynoden jetzt für die ganze Ökumene, das ganze christliche Reich, die ganze christliche „Welt", den wahren Glauben verbindlich fest und beschließen außerdem, was für die kirchliche Organisation und das kirchliche Leben notwendig erscheint. In der Wahrnehmung dieser Aufgaben verurteilen die Ökumenischen Konzilien aufgekommene Häresien; das eigentliche Ziel ist aber stets die Erhaltung und Wiedergewinnung der kirchlichen Einheit. Bei der engsten Verflechtung von Reich und Kirche wirken sich alle Vorgänge in dem einen Bereich sofort in dem anderen aus. Die Maßnahmen der christlichen Kaiser im kirchlichen Bereich sind nur zu verstehen und gerecht zu würdigen aus der weitgehenden Identifizierung von Reich und „Reichskirche", aus der kaiserlichen Verantwortung, mit der kirchlichen auch die politische Einheit des Reiches zu bewahren. Das Übergewicht des griechischen (byzantinischen) Ostens erklärt sich aus dem politischen Schicksal des Römischen Reiches.

2. Einberufung:

Die Ökumenischen Konzilien werden als Reichssynoden vom Kaiser einberufen. Die Einladung ist kaiserlicher Befehl, dem Folge zu leisten ist. Eingeladen werden zunächst die Inhaber der großen Bischofssitze des Reiches, die persönlich erscheinen sollen oder wenigstens eine Vertretung ihres Sitzes und ihres Hoheitsgebietes zu entsenden haben. Gelegentlich ergeht eine besondere Einladung außerdem an einzelne Männer anerkannter theologischer Autorität.

3. Teilnehmer, Vorsitz, Durchführung:

Stimmberechtigte Teilnehmer sind die Bischöfe. Presbyter und Diakone erscheinen ebenfalls, besonders in der frühen Zeit, Mönche, auch Laien, außer den Kaisern und ihren Kommissaren. Doch können Presbyter und Diakone nur dann größeren Einfluß üben, wenn sie als Vertreter ihrer Bischöfe auftreten. Den Vorsitz der Versammlung führen die Kaiser, ihre Kommissare oder — zumindest im Einvernehmen mit der Kaisermacht – Bischöfe hohen Ranges. Bei genauerer Prüfung ergibt sich, daß die hervorragende Rolle des Kaisers bei Einberufung und Durchführung der Ökumenischen Konzilien mehr technischer Natur gewesen ist: der Kaiser ist Schützer und Verteidiger der Kirche, der kirchlichen Einheit im wahren Glauben; er finanziert das Konzil, sorgt für die Sicherheit der Teilnehmer und für die Aufrechterhaltung der allgemeinen Ordnung. Aus dieser Verantwortung legen die Kaiser die Verhandlungsgegenstände und den Geschäftsgang fest und greifen öfters auch persönlich oder durch ihre Kommissare in die Debatten ein über Fragen des Glaubens, der kirchlichen Organisation und Disziplin.

Die Konzilien erscheinen keineswegs als Parlamente im modernen Sinn. Besonders für die frühen Synoden gilt: die Teilnehmer sind nicht Abgeordnete ihrer Gemeinden, die abgestimmt und sich den Beschlüssen der Mehrheit gefügt hätten; sie sind vielmehr „Träger des den Bischöfen eigentümlichen Charismas, ihre Entscheidungen dessen Ausfluß, mithin Werk des Heiligen Geistes. Wohl tat man in der Beratung seine Meinung kund, aber man stimmte nicht ab: das Konzil als ganzes urteilte einhellig, war gegebenenfalls Kläger und Richter in einem. Dem Unterlegenen blieb nur übrig, sich zu unterwerfen oder die von der Synode verkörperte Kirche zu verlassen“[223].

Die Ökumenischen Konzilien erscheinen auch als kirchenpolitische Machtkämpfe zwischen den großen Bischofsstühlen, zeitweilig mit kräftiger regionaler, nationaler Einfärbung. Die Beschlüsse werden als theologische und politische Kompromisse in leidenschaftlichen Kämpfen ausgehandelt. Die Kämpfe um den nicaenischen Glauben, fortgeführt in Ephesus (431) und Chalkedon (451), schienen die Einheit der Reichskirche zu sichern, waren aber tatsächlich mit dem Ausscheiden großer Gebiete im Vorderen Orient und in Ägypten erkauft. Ähnliches wiederholte sich nach dem Konzil von Konstantinopel 553 im Drei-Kapitel-Streit.

---

[223] H. D. Altendorf, in: Die Religion in Geschichte und Gegenwart III³, Tübingen 1959, 1800.

4. Bekräftigung, Publikation und Rezeption:

Die Synodalakten werden von den Teilnehmern (Bischöfe, Vertreter der Großkirchen) unterzeichnet, manchmal mit einem Zusatz, der den Rang der vertretenen Kirche im eigenen Verständnis hervorheben soll. Die Konzilien werden durch die kaiserliche Unterschrift ratifiziert, die Beschlüsse gewöhnlich als Reichsgesetze publiziert und den großen Kirchen mitgeteilt, damit sie für die Verwirklichung des Beschlossenen in ihrem Bereich Sorge tragen. Die Annahme in diesem Sinn ist in zahlreichen Quellen der Teilkirchen bezeugt, ohne daß man daraus folgern dürfte, die Konzilsbeschlüsse hätten erst durch die Rezeption in den Teilkirchen Rechtskraft erlangt. Im Einzelfall freilich sind Annahme oder Nichtannahme mit der Geschichte der Häresien und Kirchenspaltungen unlöslich verbunden.

5. Ökumenische Geltung:

Mit der Frage der Annahme hängt eng zusammen die Frage, was den Großsynoden – und hier wieder einer bestimmten Zahl – ihre „ökumenische" Geltung gegeben hat. Da ist zunächst wieder die Tatsache ihrer Berufung und Durchführung durch den Kaiser der „Oekumene" zu nennen, die Publikation und Annahme der Beschlüsse als die ganze „Oekumene", die ganze christliche „Welt" umfassend. Nun wurden aber mehrere Großsynoden zwar als „ökumenisch" in diesem Sinn berufen und durchgeführt, die sich trotzdem nicht auf die Dauer ökumenische Geltung erringen und behaupten konnten. Den richtigen Weg zu einem tieferen Verständnis der Ökumenizität der ersten sieben Ökumenischen Konzilien, vom Ersten (325) bis zum Zweiten Nicaenum (787), weist der griechisch-orthodoxe Theologe Hamilcar S. Alivisatos[224] an der Universität Athen, gerade auf dem Hintergrund der nicht immer glücklichen kaiserlichen Eingriffe: „Die Geschichte der sieben ökumenischen Konzile zeigt uns aber, daß immer der orthodoxe Standpunkt die Oberhand behielt, ob nun der Kaiser der orthodoxen Auffassung oder der Häresie nahestand, denn die Entscheidung

224 In: Das Konzil und die Konzile, 135 f.

des Konzils wurde von der Übereinstimmung der Kirche überwacht (consensus Ecclesiae). Aus diesem Grund wurde sogar die kirchliche Auffassung von der Unfehlbarkeit der Synoden (zweifellos mit gewissen Einschränkungen) akzeptiert. Diese Zustimmung der Kirche, durch welche die einmütige Überzeugung der Kirche (das heißt des Klerus und der Laien) von der unanfechtbaren Wahrheit des orthodoxen Glaubens und infolgedessen von der Unfehlbarkeit der Konzile ausgedrückt wird, ist gleichzeitig Maßstab und Prüfstein für die Autorität dieser Konzile. Diese Zustimmung der Kirche oder griechisch ausgedrückt συνείδησις τῆς Ἐκκλησίας, was etwas mehr als consensus Ecclesiae bedeutet, wird als ein Grundelement der Substanz und der Existenz der Kirche angesehen. Mir ist keine von den Kaisern mittelbar oder unmittelbar verteidigte häretische Lehre bekannt, die letzten Endes durchkam, selbst wenn sie vorübergehend die Oberhand zu haben schien." Das Glaubensbewußtsein der Kirche, bezeugt in der die Kirche repräsentierenden feierlichen Bischofsversammlung, ist das entscheidende Kriterium der ökumenischen Geltung eines Konzils im Verstand der alten Kirche. Im Selbstverständnis der alten Konzilien – und auch der späteren Ökumenischen Konzilien der lateinischen abendländischen Kirche – geht es ja nicht um neue Glaubenslehren, sondern nur um die Bezeugung des geoffenbarten Glaubens in der gegenwärtigen kritischen Situation.

Die innerhalb der Reichskirche in harten Kämpfen erreichte theologische und kirchenpolitische Befriedung führte schließlich zur ökumenischen Anerkennung von sieben Konzilien: Nicaea 325, Konstantinopel 381 (obwohl nur eine Partikularsynode des Ostens), Ephesus 431, Chalkedon 451, Konstantinopel 553 und 680/81 (beide ergänzt durch das Trullanische „Quinisextum" in Konstantinopel 692), Nicaea 787. Im Westen hat sich die ökumenische Geltung der Konzilien von Konstantinopel 381 und 553 sowie Nicaea 787 erst allmählich durchgesetzt. In der Reihe genossen wieder die ersten vier Ökumenischen Konzilien besonderes Ansehen, an der Spitze die allgemein anerkannte, bald in verklärtem Glanz gesehene „Große und Heilige Synode der 318 Väter" von Nicaea 325. – Das Konzil von Konstantinopel 869/70 hatte im lateinischen Westen zunächst kein besonderes Gewicht, nachdem die Synode von Konstantinopel 879/80 seine Beschlüsse, wieder im Beisein päpstlicher Legaten, annulliert hatte. Erst die sich verschärfenden Spannungen zwischen den Päpsten und dem Patriarchen Michael Kerullarios ließen seit der Mitte des 11. Jahrhunderts das Konzil von 869/70 wieder stärker hervortreten; erst seit dem Beginn des 12. Jahrhunderts wird diese Synode im Abendland als achtes Ökumenisches Konzil bezeichnet. Die orthodoxe Kirche des Orients erkennt bis heute nur die sieben ersten Synoden als ökumenisch an. Die Synode von Konstantinopel 879/80 wurde zwar im Osten gelegentlich als achtes Ökumenisches Konzil bezeichnet; doch blieb diese Einstufung stets unverbindlich[225].

6. Autorität der Ökumenischen Konzilien:

Die anerkannten Ökumenischen Konzilien bilden in der Christenheit des ersten Jahrtausends die höchste Autorität in der Kirche. Ihre höchste Gewalt umfaßt alle Aufgaben, die dem Konzil zur Entscheidung vorgelegt sind: a) im dogmatischen Bereich positiv die einmütige endgültige Feststellung und feierliche Bezeugung des wahren Glaubens im geschichtlichen Prozeß der Entwicklung der Glaubenslehre, negativ in der Verurteilung der Häresien; b) im rechtlichen Bereich die Funktionen der höchsten Gesetzgebung, Rechtssprechung und Verwaltung, vornehmlich geübt im Ausbau der kirchlichen Organisation und Verfassung, in disziplinären Bestimmungen über kirchliches Leben und Kirchenbrauch, in der Entscheidung strittiger Rechtsfälle, die von anderen Instanzen nicht beigelegt werden konnten, und in der Gerichtsbarkeit über Urheber und Anhänger häretischer Lehren. Die Gerichtsbarkeit erstreckt sich ausdrücklich auch über die Inhaber der vornehmsten Bischofssitze, über die Patriarchen und über den römischen Papst, wie der Fall des Papstes Honorius I. beweist.

Die höchste Gewalt der Konzilien wird von der ganzen Kirche anerkannt. Wer die Anerkennung verweigert und hartnäckig daran festhält, stellt sich als Häretiker oder Schismatiker außerhalb der Kirche. Unter den sieben im Osten und Westen anerkannten Konzilien genießen wieder die vier ersten besonderes Ansehen, an der

---

225 H. S. Alivisatos, in: Das Konzil und die Konzile, 104 f.

Spitze das Konzil von Nicaea 325. „Die vier heiligen Synoden" (Nicaea 325, Konstantinopel 381, Ephesus 431, Chalkedon 451) bilden im Zeitalter Kaiser Justinians I. (527–565) bereits eine feste Größe; sie sind seit der Glaubenserklärung des Papstes Vigilius von 540[226] fest in der päpstlichen professio fidei eingebürgert und werden in Sachen der Glaubenslehre wie die Autorität der Heiligen Schrift geachtet; Papst Gregor der Große (590–604) will „die vier Konzilien" so annehmen und verehren wie die vier Evangelien[227].

7. Ökumenische Konzilien und päpstlicher Primat:

Auf den vornicaenischen Synoden steht der Vorrang des Bischofs von Rom noch völlig im Schatten. Die Bischofssynoden der einzelnen Regionen verstehen sich als die befugten Organe, in der Autorität des Bischofskollegiums der gesamten Kirche zu handeln. Aus dem Bewußtsein der gemeinsamen Verantwortung aller Bischöfe für die Gesamtkirche tritt die Kollegialität weit stärker in Erscheinung als der Primat des Bischofs von Rom. Dies gilt grundsätzlich auch für alle Ökumenischen Konzilien des ersten Jahrtausends. Das Kirchenrecht der alten Christenheit ist wesentlich episkopales Synodalrecht, das aus den Beratungen der Synoden, auf höchster Ebene aus den Ökumenischen Konzilien, hervorgeht. Daneben entwickelt sich seit Siricius I. (384–399) die päpstliche Dekretalen-Gesetzgebung, mit dem Anspruch, daß päpstliche Entscheidungen einzelner Rechtsfälle allgemein gelten und den Synodalcanones gleichgestellt sein sollten.

Seit den arianischen Streitigkeiten des vierten Jahrhunderts sind immer wieder päpstliche Versuche festzustellen, die Kontrolle über Synoden in der Gesamtkirche zu erhalten, so unter Julius I. (337 bis 352) und Innocenz I. (401–417), der bereits fordert, die auf örtlichen Synoden verhandelten „causae maiores" zur Bestätigung an

---

[226] Collectio Avellana (CSEL 35, ed. O. Günther) Nr. 92.

[227] Im Schlußabsatz seiner Synodica heißt es: „... sicut sancti evangelii quattuor libros, sic quattuor concilia suscipere et venerari me fateor, Nicenum scilicet, in quo perversum Arrii dogma destruitur, Constantinopolitanum quoque, in quo Eunomii et Macedonii error convincitur, Efesenum etiam primum, in quo Nestorii impietas iudicatur, Chalcedonense vero, in quo Eutychis Dioscorique pravitas reprobatur, tota devotione complector ..." MG. Ep. I 24 p. 36.

den römischen Stuhl zu überweisen. Noch schärfer formuliert Leo I. (440–461) die päpstlichen Ansprüche, wie sie in den letzten hundert Jahren immer deutlicher und umfassender formuliert worden sind. Zur Bekräftigung der eigenen Primatsdoktrin beruft man sich auf eine Tradition, die aber in Wirklichkeit die Geschichte weitgehend dieser Doktrin anpaßt. So klagt etwa der päpstliche Legat Lucentius in Chalkedon 451 gegen Dioskur: „Er hat es gewagt, eine Synode zu halten ohne die Autorität des Heiligen Stuhles, was nie erlaubt war und nie geschehen ist"[228]. Papst Gelasius I. (492–498) nimmt, wieder auf Grund alter Gewohnheit, das Recht in Anspruch, auf Synoden Verurteilte zu rehabilitieren. Nikolaus I. (858–867) behielt dem römischen Stuhl die Kontrolle der Nationalkonzilien vor, noch nicht das Kontrollrecht der Provinzialsynoden. Die Pseudo-Isidorischen Dekretalen schließlich schreiben dem Papst die Kontrolle aller Synoden in der Kirche zu, und Hadrian I. (772–795) beansprucht allgemein das Recht, Synodalbeschlüsse zu bestätigen; er schreibt an die Kaiserin Irene nach Konstantinopel: Die Römische Kirche „bestätigt jede Synode durch ihre Autorität und bewahrt sie durch ihre ständige Leitung"[229].

Nun ist in der ganzen Kirche unbestritten, daß Rom der erste Bischofssitz dem Range nach ist, daß der Bischof von Rom als Nachfolger der Apostelfürsten Petrus und Paulus, vornehmlich des Petrus, einen nicht näher umschriebenen Vorrang innehat. Im allgemeinen füllt man nur in Rom selber diesen Vorrang mit der Entwicklung der Primatsdoktrin immer weiter aus. Der Primatsentwicklung im lateinischen Westen ist der griechisch bestimmte Osten nicht gefolgt. Aber auch der Westen ist zunächst keineswegs römisch orientiert; man denke nur an die Haltung der selbstbewußten afrikanischen Kirche vor dem Einbruch der Vandalen, an die praktische Eigenständigkeit der Kirche im westgotischen und im vorbonifatianischen fränkischen Reich und nicht zuletzt an das irisch-schottische Kirchenwesen. Auf den Ökumenischen Konzilien können die römischen Primatsvorstellungen nur sehr beschränkt zur Geltung gebracht werden, am ehesten noch in Ephesus 431 und Chalkedon 451.

Die Ökumenischen Konzilien bedürfen weder der Berufung noch der Bestätigung durch den Papst, der aber im allgemeinen durch

[228] Mansi VI 581. – ACO II. I 1, 65.
[229] Mansi XII 1074.

Legaten vertreten ist. Päpstliche Annullierungen von Synoden oder Verurteilungen von Häresien werden von den Konzilien keineswegs als endgültig und abschließend gewertet, auch wenn die römischen Legaten solches auftragsgemäß fordern. Das Konzil verhandelt jeweils neu und fällt dann seine Entscheidung kraft eigenen Rechtes.

Die Beschlüsse werden kollegial gefaßt, wobei Einmütigkeit das Ziel ist. Dieses Selbstverständnis der Konzilien spricht zum Beispiel klar aus den einleitenden Sätzen der Glaubensdefinition von Chalkedon: „Die Heilige Große Ökumenische Synode, die durch die Gnade Gottes und den Willen unserer allerfrömmsten und allerchristlichsten Kaiser Valentinianus und Marcianus in Chalkedon versammelt ist . . ., hat definiert, was folgt . . .“[230]. Ähnlich lautet die entsprechende Formel der Konzilien von Konstantinopel 680/81[231] und 869/70[232]. Das Zweite Nicaenum 787 fügt dem noch hinzu, daß die Synode „der Überlieferung der katholischen Kirche folgend“[233] seine Definition ausspricht. Nur gelegentlich wird die Bitte um päpstliche Bestätigung vorgebracht, ist aber im Verständnis der Zeit eher als Bitte um Zustimmung, um Annahme und Verwirklichung der getroffenen Beschlüsse zu interpretieren. Die Ökumenischen Konzilien lehnen vielmehr den päpstlichen Anspruch, Fragen des Glaubens und der kirchlichen Disziplin allein zu entscheiden, wiederholt klar ab. Entscheidend ist stets der Glaube der Gesamtkirche, wie er im Ökumenischen Konzil sich bekundet, nicht die Autorität eines einzelnen Bischofs, und sei er auch unbestritten der Erste Bischof in der Kirche. Aus diesem Glaubensbewußtsein verurteilt ein Allgemeines Konzil – im Fall Honorius' I. – auch einen Papst als Häretiker, wie andere Großbischöfe auch[234]. Die Berechtigung dazu wird vom Glauben der ganzen Kirche, auch der römischen Kirche, getragen.

Dabei ist zu beachten, daß auch die Päpste dieser Jahrhunderte keine wichtige Entscheidung für sich allein treffen, sondern stets kollegial, mit ihrer Synode. Auch der Papst steht mitten in der

---

[230] COD 83.
[231] COD 124.
[232] COD 160.
[233] COD 133.
[234] COD 125.

Kirche, er ist nicht absolutistisch über sie erhoben. Allerdings ist in den Ökumenischen Konzilien auch „ein Ringen zwischen einer zum Absolutismus tendierenden Auffassung vom Primat, wie sie von Rom vertreten wurde, und dem kollegialen Verständnis der höchsten Autorität in der Kirche, wie sie auf den Konzilien vorherrschte, festzustellen. Die Konzilien haben wohl einen echten Primat gelten lassen, aber nicht *den* Primat, wie ihn Rom damals schon beanspruchte. Die Konzilien sind der Auffassung, daß endgültige Entscheidungen in Glaubensfragen und auch in wichtigen disziplinären Angelegenheiten nur kollegial getroffen werden können. Das letzte Kriterium in Glaubenssachen ist für die Konzilien der Glaube der Gesamtkirche ... Es ist schwer zu sehen, wie ein absolutistisch verstandener Primat eine Stütze in der Tradition des ersten Jahrtausends finden kann"[235]. Gerade die Primatsfrage sollte später die orthodoxen Kirchen des Ostens und alle reformatorischen Kirchen der Neuzeit nicht nur von Rom trennen, sondern sich auch als schwerstes Hindernis der Wiedervereinigung erweisen. Die orthodoxen Kirchen haben im allgemeinen das Glaubensbewußtsein der alten Konzilien von der Stellung des römischen Papstes in der Kirche bis heute festgehalten. Obwohl die Kirche des Orients auch nach der endgültigen Spaltung im elften Jahrhundert sich als „authentische Nachfolgerin der unteilbaren Urkirche"[236] betrachtet hat, vermied sie es, über das siebte Ökumenische Konzil hinaus weitere

---

[235] W. de Vries. Die Kollegialität auf Synoden des ersten Jahrtausends; in: Orientierung 33 (1969) 243 f., 260–262 (hier 261). W. de Vries hat eine Reihe vorzüglicher Strukturanalysen zum Selbstverständnis der Kirche im Spiegel der Ökumenischen Konzilien des 1. Jahrtausends vorgelegt, die zu den einzelnen Konzilien genannt sind; französische Ausgabe: W. de Vries, Orient et Occident. Les structures ecclésiales vues dans l'histoire des sept premiers conciles oecumeniques, Paris 1974.

[236] H. S. Alivisatos, in: Das Konzil und die Konzile, 141. — F. Heiler, Altkirchliche Autonomie und päpstlicher Zentralismus, München 1941. — F. Afanasieff u. a., La primauté de Pierre dans l'Église orthodoxe, Neuchatel 1960. — W. de Vries, Rom und die Patriarchate des Ostens, Freiburg-München 1963. — Dazu zahlreiche Beiträge in: Wort und Wahrheit. Revue for Religion and Culture, Supplementary Issue Number 1 (Wien 1972) u. Number 2 (Wien 1974). Hier sind die Referate, Korreferate und Berichte über die 1. (Sept. 1971) und 2. ökumenische Konsultation (Sept. 1973) zwischen altorientalischen und römisch-katholischen Theologen in Wien gedruckt; die Referate und Berichte der 3. ökumenischen Konsultation (Wien, Aug./Sept. 1976) werden voraussichtlich 1977 gedruckt erscheinen.

Ökumenische Synoden zu berufen; denn diese würden von der römisch-katholischen Kirche nicht anerkannt werden, und damit fehlte das entscheidende Merkmal der Katholizität. Anders verlief die Entwicklung in der lateinischen Kirche des Westens.

III. Die päpstlichen Konzilien des Mittelalters

Im Unterschied zu den bisherigen Ökumenischen Synoden waren die Konzilien des Mittelalters päpstliche Generalkonzilien, die auf das Abendland beschränkt blieben. Die Entwicklung des Dogmas trat auf ihnen stärker in den Hintergrund. Im Blickpunkt des Interesses standen Fragen der Kirchendisziplin, der Kirchenpolitik, der Kirchenreform, mehrmals auch Versuche einer Union mit der Ostkirche.

Ausbau und Festigung der kirchenpolitischen Stellung des Papsttums wurden für die Entwicklung im Abendland entscheidend. Die politische Situation des Frühmittelalters kam dieser Entwicklung zustatten[1]. Im Westen gewöhnte man sich daran, die drei Funktionen des Papstes immer weniger zu unterscheiden: Bischof von Rom und Metropolit der römischen Kirchenprovinz, Patriarch des Abendlandes, Papst der Gesamtkirche[2]. Zwar führten viele Landeskirchen jahrhundertelang ihr Eigenleben, doch in Rom wurde die ältere Doktrin vom eigenen Vorrang auch in Zeiten tiefen äußeren Niedergangs nie vergessen, immer wieder aufgegriffen, in Einzelfällen angewandt und schließlich durch das gekräftigte Reformpapsttum des 11. Jahrhunderts in der ganzen abendländischen Christenheit zur Geltung gebracht. Die Kenntnis der tatsächlichen Vorgänge in der alten Kirche, gerade auch auf den Ökumenischen Konzilien,

---

[1] Zur Geschichte des Papsttums im Mittelalter: Caspar II. – Haller I²–V². – Seppelt II², III, IV². – K. Bihlmeyer – H. Tüchle, Kirchengeschichte II: Das Mittelalter, Paderborn ¹⁸1968. – W. Ullmann, The Growth of Papal Government in the Middle Ages, London ³1970. – Ders., A Short History of the Papacy in the Middle Ages, London 1972. – Handbuch der Kirchengeschichte II/2–III/2. – C. Andresen, Geschichte des Christentums I: Von den Anfängen bis zur Hochscholastik, Stuttgart-Berlin-Köln-Mainz 1975. – Für die Institutionen und die Struktur der mittelalterlichen Kirche bes. G. Le Bras, Institutions ecclésiastiques de la Chrétienté médiévale, Paris 1959–1964 (Histoire de l'Église, 12).

[2] Diese Vermengung wird in Rom seit dem 3./4. Jahrhundert im Zusammenhang mit der Entwicklung der Primatsdoktrin klarer erkennbar. Der Streit um Titel und Stellung des „ökumenischen" Patriarchen von Konstantinopel ist dafür das bekannteste Beispiel.

war frühzeitig schon im Schwinden begriffen gewesen. Dies erleichterte die römische Tendenz, den Ablauf historischer Ereignisse der entwickelten Primatsdoktrin rückschauend anzupassen. Die Christianisierung der germanischen Völker im mittleren und nördlichen Europa, später auch der östlich angrenzenden Slawen und Ungarn, erfolgte in römischem Auftrag oder doch in enger Verbindung mit dem Papsttum, vor allem der Ausbau der kirchlichen Verfassung in diesen Gebieten[3]. Die römisch orientierte angelsächsische Mission auf dem europäischen Festland rückte das Papsttum als höchste kirchliche Autorität deutlich ins Bewußtsein der christlichen Germanenvölker. Namentlich Bonifatius bereitete den Bund des Papsttums mit den Franken und die folgenschwere Verbindung des Stuhles Petri mit dem römisch-deutschen Kaisertum vor. In den entstehenden germanischen Landeskirchen wurden zahlreiche Synoden gehalten. Im Frankenreich verfielen die Landeskonzilien mit dem Niedergang der Merowinger, lebten aber unter den Karolingern wieder auf. Als Diözesansynoden und Reichskonzilien arbeiteten sie an den vielfachen Aufgaben einer tieferen Verchristlichung Die Konzilien waren von Reichstagen oft kaum zu unterscheiden.

Die Gregorianische Reform

Mit dem Vordringen des Reformgedankens im 10. und 11. Jahrhundert gewannen die Konzilien neue und erhöhte Bedeutung. Die Reformen des monastischen und kanonikalen Lebens wuchsen im 11. Jahrhundert in die erstarkende Bewegung zur Reform der ganzen abendländischen Kirche hinein. Von den Synoden vor der „Gregorianischen Reform“[4] kam der großen Reformsynode von Pavia 1022 besondere Bedeutung zu; Kaiser Heinrich II. und Papst Bene-

[3] K. D. Schmidt, Die Bekehrung der Germanen zum Christentum I–II, Göttingen 1939–1942. – G. Haendler, Geschichte des Frühmittelalters und der Germanenmission. G. Stökl, Geschichte der Slavenmission, Göttingen 1961 (Die Kirche in ihrer Geschichte, hrsg. v. K. D. Schmidt u. E. Wolf, II E). – E. Ewig, K. Baus, H. J. Vogt, Die lateinische Kirche im Übergang zum Frühmittelalter, in: Handbuch der Kirchengeschichte II/2, 93–329. – F. Kempf, ebda. III/1, 261–282.

[4] F. Kempf, in: Handbuch der Kirchengeschichte III/1, Freiburg 1966, 401 bis 461, 485–539. – Cluny. Beiträge zu Gestalt und Wirkung der cluniazensischen Reform. Hrsg. v. H. Richter, Darmstadt 1975.

dikt VIII. wohnten ihr an. Die treibende Kraft war der Kaiser, der die Synodalbeschlüsse als Reichsgesetze verkündet hat. Auch das wiederholte Eingreifen der sächsischen und salischen Könige in die Wirren um den Stuhl Petri erfolgte regelmäßig in synodaler Form, auch wenn der königliche Wille entscheidend blieb, so auch auf den die Wende unmittelbar einleitenden Synoden von Sutri und Rom 1046. Auch die von Kaiser Heinrich III. designierten deutschen Päpste begannen das Reformwerk auf Synoden. Seit Leo IX. (1049 bis 1054) wurde die jährliche Fastensynode in Rom der eigentliche Ort der religiösen und kirchenpolitischen Proklamationen des Reformpapsttums. In der sich bildenden Römischen Kurie[5] und im gleichzeitig entstehenden Kardinalskollegium neuen Stils[6] erwuchsen dem Papsttum die geeigneten Helfer, die dem Papst fortan in der Regierung der universalen Kirche zur Seite standen.

Die von Anfang an verschiedene Anschauung der Kurie und des deutschen Hofes vom Kaisertum, die Gegensätzlichkeit der Auffassung von königlichen und päpstlichen Rechten trieb unter Gregor VII. (1073–1085) zum offenen Konflikt mit Kaiser Heinrich IV. im Investiturstreit, der gleichwohl nur einen Teilaspekt des umfassenden revolutionären Umbruchs beschreibt und der seine Parallelen in allen Ländern der abendländischen Christenheit hatte[7]. Mit leidenschaftlichem Einsatz seiner ganzen Persönlichkeit verfocht Gregor VII. die Gedanken der „Reinheit" und „Freiheit" der

---

[5] K. Jordan, Die Entstehung der römischen Kurie. Ein Versuch, in: Zeitschrift der Savigny-Stiftung für Rechtsgeschichte, Kan. Abt. 28 (1939) 97–152, wiederabgedruckt in der Reihe Libelli, Bd. 91, Darmstadt 1962 u. 1973.

[6] H.-W. Klewitz, Die Entstehung des Kardinalkollegiums, in: Zeitschrift der Savigny-Stiftung für Rechtsgeschichte, Kan. Abt. 25 (1936) 115–221; ders., Reformpapsttum und Kardinalkolleg (Ausgewählte Aufsätze), Darmstadt 1957. — K. Ganzer, Die Entwicklung des auswärtigen Kardinalats im hohen Mittelalter. Ein Beitrag zur Geschichte des Kardinalkollegiums vom 11. bis 13. Jahrhundert, Tübingen 1963. — C. G. Fürst, Cardinalis. Prolegomena zu einer Rechtsgeschichte des römischen Kardinalskollegiums, München 1967. — G. Alberigo, Cardinalato e collegialità. Studi sull' ecclesiologia tra l'XI e il XIV secolo, Firenze 1969. — Zahlreiche einschlägige Beiträge in: Le istituzioni ecclesiastiche della „societas christiana" dei secoli XI–XII. Papato, cardinalato ed episcopato. Atti della quinta Settimana internazionale di studio. Mendola, 26–31 agosto 1971 (Misc. del Centro di Studi Med. 7), Milano 1974.

[7] J. Fleckenstein [Hrsg.], Investiturstreit und Reichsverfassung, Sigmaringen 1973 (Vorträge und Forschungen. Hrsg. vom Konstanzer Arbeitskreis für mittelalterliche Geschichte, Bd. 17).

Kirche[8], der schier unbegrenzten Vorrangstellung des Papstes in der Kirche, in der christlichen Weltordnung.

Gregor VII.[9] will die Verwirklichung des Gottesreiches auf Erden unter der Leitung des Papstes, dem als Vicarius Christi alle Christgläubigen unterworfen sein müssen. Er will eine Verfassung der christlichen Gesellschaft, bei der dem Papsttum die Führung zukommt über die Fürsten und Völker, bei der aber auch geistliche und weltliche Gewalt zum Wohl der Christenheit unter der Führung des Nachfolgers des Apostelfürsten einträchtig zusammenwirken. Das sind keine neuen Gedanken; es sind die großen geschichtstheologischen Ideen, wie sie Augustinus in seinem Werk vom Gottesstaat entwickelt hat, wie sie dann von Gregor I. und Nikolaus I. übernommen und zur Richtschnur des Handelns gemacht worden waren. Gregor VII. hat die überkommenen Vorstellungen geordnet und leidenschaftlich an ihrer Verwirklichung gearbeitet, ohne daß er aber ein widerspruchsloses und nach allen Seiten angewandtes System entwickelt hätte. „Das ekklesiologische Konzept Gregors VII. ... trägt vor allem zwei ausgeprägte Akzente: Zum ersten wird bei ihm der päpstliche Primat zum Angelpunkt der gesamten Ekklesiologie ... Das zweite Moment der gregorianischen Ekklesiologie ist der ausgesprochen juridische Charakter, der sie prägt. Der mystische Kirchenbegriff ... klingt zwar ab und zu an, bleibt aber ganz am Rande und bleibt hinter dem juridischen Aspekt zurück“[10].

Die erhaltenen Briefe Gregors VII.[11] bieten die Möglichkeit, die sein Denken und Handeln beherrschenden Anschauungen in der vom Papst selbst geprägten Formulierung und praktischen Ausgestaltung kennenzulernen. Knapp formuliert und schroff zugespitzt

---

[8] G. Tellenbach, Libertas. Kirche und Weltordnung im Zeitalter des Investiturstreites, Stuttgart 1936.

[9] Vgl. die zahlreichen Beiträge in den Studi Gregoriani, Bd. 1–9, hrsg. von G. Borino, Rom 1947–1972.

[10] Y. Congar, Der Platz des Papsttums in der Kirchenfrömmigkeit der Reformer des 11. Jahrhunderts, in: Sentire Ecclesiam. Festschrift Hugo Rahner, Freiburg i. Br. 1961, 196–217. – L. F. J. Meulenberg, Der Primat der römischen Kirche im Denken und Handeln Gregors VII., s'Gravenhage 1965. – J. Spörl, Gregor VII. und das Problem der Autorität, in: Reformata Reformanda. Festschrift Hubert Jedin, I, Münster 1965, 59–73. – K. Ganzer, Das Kirchenverständnis Gregors VII., in: Trierer Theologische Zeitschrift 78 (1969) 95–109, hier 107.

[11] E. Caspar, Gregor VII. in seinen Briefen, in: Historische Zeitschrift 130 (1924) 1–30.

sind diese Grundsätze vom Papst selbst zusammengefaßt in den 27 Leitsätzen des „Dictatus Papae"[12], die Gregor im März 1075 in sein Register aufnehmen ließ. Es handelt sich dabei vielleicht um den Index einer vom Papst veranlaßten Canones-Sammlung über Primatsrechte oder doch um Richtlinien für eine geplante Kompilation dieser Art. In jedem Fall enthalten diese Sätze in knappster Form das kirchenpolitische Glaubensbekenntnis Gregors VII. Sie fassen die bisherigen päpstlichen Machtansprüche zusammen, steigern sie und zeigen darin den Beginn einer neuen Epoche an. Der Machtanspruch gipfelt in der kategorischen Behauptung des Jurisdiktionsprimates über die gesamte Kirche, in der Forderung der Absetzungsgewalt über die Kaiser und in der Feststellung, daß die römische Kirche niemals geirrt habe und niemals irren werde, daß der rechtmäßig gewählte Papst durch die Verdienste des heiligen Petrus ohne Zweifel heilig werde. Es ist die Konzeption eines absolutistisch verstandenen Primates in extremer Formulierung. Der Papst ist nun zu einer Art Gott-Kaiser auf Erden geworden, der alles und jedes im geistlichen und weltlichen Bereich richten kann, selber aber keiner irdischen Instanz Rechenschaft schuldet und, wenn er nur rechtmäßig gewählt ist, Erbheiligkeit besitzt. Man kann gewiß feststellen, daß die einzelnen, unsystematisch aneinandergereihten Sätze nicht neu sind. Neu ist aber durchaus das lapidare Programm und neu ist die kühne Entschlossenheit, den Anspruch auch zu verwirklichen, ohne Rücksicht auf die Folgen. Die „Gregorianische Reform", konzentriert im Pontifikat Gregors VII., ist die große Wende. Die Szene von Canossa ist dafür sprechendes Symbol[13]. Der einzelne Papst wird auch in so vielen Fällen der folgenden Jahrhunderte gütig und barmherzig sein, sich vor Gott und den Menschen als Sünder anklagen, seine Aufgabe in

---

[12] C. Mirbt – K. Aland, Quellen zur Geschichte des Papsttums und des römischen Katholizismus I, Tübingen [6]1967, Nr. 547. Zur Fülle der Literatur vgl. H. Fuhrmann, Das Reformpapsttum und die Rechtswissenschaft, in: J. Fleckenstein, Investiturstreit und Reichsverfassung, Sigmaringen 1973, 175–203, bes. 185 f.

[13] W. v. d. Steinen, Canossa. Heinrich IV. und die Kirche, München 1957, Neudruck Darmstadt 1969. – H. Kämpf [Hrsg.], Canossa als Wende. Ausgewählte Aufsätze zur neueren Forschung. Darmstadt [3]1976. – Ch. Schneider, Prophetisches „Sacerdotium" und heilsgeschichtliches „Regnum" im Dialog 1073–1077. Zur Geschichte Gregors VII. und Heinrichs IV., München 1972.

der Verkündigung des Evangeliums und im christlichen Bruderdienst sehen; an der subjektiven redlichen Überzeugung wird, wie schon bei Gregor VII., im allgemeinen nicht zu zweifeln sein. Aber der einzelne Papst steht seit Jahrhunderten schon und wird in Zukunft noch weit mehr im Schatten der gewaltigen, den Menschen schier erdrückenden Institution stehen. Nur ganz wenige Frivole auf der Cathedra Petri werden „das Papsttum genießen, da Gott es ihnen verliehen hat“[14]. Die meisten werden unter der Last des Amtes seufzen und nicht wenige werden unglücklich sein.

Der Historiker hat die selbstverständliche Aufgabe, mit den Augen der jeweiligen Zeit zu sehen und jede Persönlichkeit der Geschichte an den Gegebenheiten und Möglichkeiten der jeweiligen Epoche zu messen. Die zweite Hälfte des elften Jahrhunderts besaß weder genaue Kenntnis der alten Kirchengeschichte noch Sinn für historische Kritik im Verstand der Neuzeit. Insofern müssen alle Gegenüberstellungen über Jahrhunderte hinweg höchst problematisch bleiben, da zum Ablauf der Geschichte eben notwendig das Moment der Entwicklung gehört, gerade auch in der Geschichte der Kirche, in der Weitergabe der Offenbarung und in der Entfaltung der Glaubenslehre. Dennoch sei die Frage gestellt: Hätte auch nur ein einziger Kirchenvater der alten Zeit im Dictatus Papae Gregors VII. die Kirche seiner Zeit erkannt? Hätten die Ökumenischen Konzilien des ersten christlichen Jahrtausends die Struktur der Kirche nach diesem Programm sich auch nur vorstellen können?

Der ursprünglich religiöse Ansatz der „Gregorianischen Reform“ verband sich zunehmend mit politischem Machtanspruch, wie schon der Dictatus Papae und der Verlauf des Kampfes zwischen geistlicher und weltlicher Gewalt – zuweilen ein Kampf auf Leben und Tod – beweisen. Die „Gregorianische Reform“ des 11./12. Jahrhunderts bedeutete, gemessen an der Vergangenheit und an den folgenden Jahrhunderten der gesamten Kirche, ebensosehr reformatio wie deformatio Ecclesiae. Die beherrschend in den Vordergrund gerückte Einheit im Papsttum verdrängte zunehmend das ältere Synodalrecht, das kollegiale Prinzip, die herkömmliche Rechtsstellung der Bischöfe und Metropoliten, das Recht der Laien,

---

[14] Nach dem Bericht des venezianischen Gesandten Marino Giorgi hat sich Leo X. nach seiner Wahl so geäußert. Pastor, Geschichte der Päpste IV/1, 353.

gipfelnd im Königsrecht; denn im König war grundsätzlich der Laie in der Kirche getroffen. Die Kirche verstand sich fortan weit stärker als bisher als Kleruskirche. Die Anfangsworte der Bulle „Clericis laicos"[15] Bonifaz' VIII. spiegeln hier treffend die Weiterentwicklung gregorianischen Denkens. Zunächst hielten freilich die in der gregorianischen Epoche entwickelten Strukturformen die abendländische Christenheit im 12./13. Jahrhundert trotz aller Streitigkeiten im einzelnen grundsätzlich zusammen, bis sie vom vordringenden Staatsgedanken säkularisiert wurden. Bis zu den Versuchen einer Neuorientierung in der Gegenwart steht die katholische Kirche wesentlich im Bann gregorianischen Denkens. Die Auffassung des Dictatus Papae vom päpstlichen Primat und von der Struktur der Kirche blieb für die römische Kirchenpolitik fortan durch alle Schwankungen der Zeit bestimmend. Man kann rückschauend feststellen, daß der Dictatus Papae auf dem Ersten Vatikanischen Konzil endgültig gesiegt und im Codex Iuris Canonici von 1917/18 seine volle Verwirklichung gefunden hat, auch wenn die Päpste in den Jahrhunderten der Neuzeit allmählich hatten einsehen müssen, daß die Absetzung von Königen, die Entbindung der Untertanen vom Treueid, das Interdikt über ganze Länder oder die Exkommunikationsdrohung über Millionen völlig wirkungslos geblieben sind, den Gläubigen Bedrängnis gebracht und den Gegnern der Kirche das Gesetz des Handelns gegeben haben[16].

Ganz im Rahmen der Ansprüche, die in Rom schon jahrhundertelang erhoben worden sind, beschäftigen sich mehrere Sätze des Dictatus Papae mit dem Papstrecht im Verhältnis zum alten Synodalrecht: „3. Quod ille solus [Romanus pontifex] possit deponere episcopos vel reconciliare. 4. Quod legatus eius omnibus episcopis presit in concilio, etiam inferioris gradus et adversus eos sententiam depositionis possit dare ... 7. Quod illi soli licet pro temporis necessitate novas leges condere ... 16. Quod nulla synodus absque precepto

---

[15] „Clericis laicos infestos oppido tradit antiquitas ...". Mirbt-Aland, Quellen, Nr. 743.

[16] Die wichtigsten Beispiele aus der Neuzeit sind: Exkommunikation und Absetzung der Königin Elisabeth von England durch Pius V. (1570), Bann und Interdikt Pauls V. gegen Venedig (1606), die päpstliche „Non-expedit"-Politik gegen die Katholiken Italiens nach dem Ende des Kirchenstaates und die Exkommunikation Pius' XII. über die Kommunisten (Dekret des Heiligen Offiziums vom 1. Juli 1949).

eius debet generalis vocari ... 18. Quod sententia illius a nullo debeat retractari, et ipse omnium solus retractare possit. 19. Quod a nemine ipse iudicari debeat ... 21. Quod maiores causae cuiuscunque ecclesiae ad eam [apostolicam sedem] referri debeant. 22. Quod Romana ecclesia nunquam erravit nec in perpetuum scriptura testante errabit ... 25. Quod absque synodali conventu possit episcopos deponere et reconciliare. 26. Quod catholicus non habeatur, qui non concordat Romanae ecclesiae."

Der Einfluß Pseudo-Isidors auf diese Entwicklung wurde früher überschätzt. Die gründlichen Untersuchungen von Horst Fuhrmann[17] haben ergeben, „daß die Daten sich weniger dramatisch geben als gemeinhin dargestellt. Eine kräftige Pseudoisidorrezeption war nicht der Hebel, eher der Kommentar einer stark auf Rom bezogenen Entwicklung, und ein Haupteinfluß der Fälschung dürfte überhaupt außerhalb der päpstlichen Primatialrechte gelegen haben. Die pseudoisidorischen Fälschungen mögen in ihrem ahistorischen und gerade deshalb nicht selten sachgemäßen Charakter wohl als Ferment eingewirkt haben, in die Substanz sind sie gerade wegen der zeitlichen Ungebundenheit kaum irgendwo tief eingedrungen, an keinem Ort sind sie Strukturelement. Die Totalisierung der Kirche zu einer Papstkirche wäre fraglos auch ohne sie erfolgt"[18]. Was Pseudo-Isidor an „historischem" Unterbau bot, entsprach so vollkommen den Vorstellungen vieler Papalisten des hohen Mittelalters, daß man auch ohne diese nützliche, um die Mitte des 9. Jahrhunderts in Westfranken angefertigte Dokumentation die Theorien von den unvergleichlichen Vorrechten dessen ausbauen konnte, der sich nicht nur Nachfolger des Apostelfürsten, sondern bald auch Vicarius Christi, Stellvertreter Gottes auf Erden, nannte[19]. Wo war seiner plenitudo potestatis eine Grenze zu setzen? Was der Papst setzte, war „Recht". Alle seine Entscheidungen, mochten sie im konkreten Einzelfall auch gegen überkommenes Recht und Herkommen verstoßen, standen so hoch wie der Himmel über

---

[17] Einfluß und Verbreitung der pseudoisidorischen Fälschungen. Von ihrem Auftauchen bis in die neuere Zeit, 3 Teile, Stuttgart 1972–1974 (Schriften der Monumenta Germaniae historica Bd. 24, I–III).

[18] Ebda. I 38.

[19] M. Maccarrone, Vicarius Christi. Storia del titolo papale, Rom 1952. – Zu den päpstlichen Titeln in Geschichte und Gegenwart: Y. Congar, Titel, welche für den Papst verwendet werden, in: Concilium 11 (1975) 538–544.

der Erde supra canones et leges. Dieser entscheidend wichtige Umstand wird von positivistisch denkenden Rechtshistorikern, besonders kirchlichen Rechtshistorikern, oft übersehen. Mit dem ersten Kreuzzug übernahm das Papsttum am Ende des 11. Jahrhunderts sichtbar die Führung des Abendlandes. Aber gerade die Geschichte der Kreuzzüge erweist, daß der Papst als geistlich-politischer Führer der Christenheit nicht auf dem Felsen Petri stand, sondern auf schwankendem Grund.

Die vier „Ökumenischen" Laterankonzilien des Hochmittelalters (1123, 1139, 1179, 1215)

Seit Leo IX. hatten die Päpste immer wieder Generalsynoden abgehalten, um zusammen mit den Bischöfen verschiedener Länder allgemeinverbindliche Beschlüsse zu fassen. Im Mittelpunkt stand der Reformgedanke, was immer man darunter auch verstand. Es ist nur schwer zu begründen, warum von den zahlreichen „Generalsynoden" des hohen Mittelalters nur die Laterankonzilien von 1123 (unter Papst Calixt II. nach dem Wormser Konkordat)[20], 1139 (unter Innozenz II. nach dem Schisma Anaklets II.)[21], 1179 (unter Alexander III. nach dem Frieden von Venedig)[22] und 1215 (unter Innocenz III. wegen der Wiederaufnahme der Kreuzzüge, Bekämpfung der Katharer und innerkirchlicher Reformen)[23] später in die Reihe der Ökumenischen Konzilien aufgenommen wurden. Die Bezeichnung „concilium generale", „synodus generalis" hilft nicht weiter. Denn in dieser Zeit werden, wie es im „Dictatus Papae" gefordert ist, alle Synoden so genannt, bei denen der Papst oder ein päpstlicher Legat den Vorsitz führt oder die wenigstens auf päpstliche Veranlassung hin versammelt sind. Nur diese Generalkonzilien können neue Canones aufstellen, einen Bischof absetzen und Heilige kanonisieren[24]. Solche Generalkonzilien werden zum

[20] COD 187–194.

[21] COD 195–203.

[22] COD 205–225. – F.-J. Schmale, Systematisches zu den Konzilien des Reformpapsttums im 12. Jahrhundert, in: Annuarium Historiae Conciliarum 6 (1974) 21–39.

[23] COD 227–271. – R. Foreville, Lateran-Konzil I–IV (Geschichte der ökumenischen Konzilien VI), Mainz 1970.

[24] G. Fransen, Die Ekklesiologie der Konzile des Mittelalters, in: Das Konzil und die Konzile, 145–164.

Beispiel 1119, 1131 und 1148 in Reims, 1148 in Cremona gehalten. Es hat den Anschein, daß diese „allgemeinen“ Konzilien „doktrinalen und legislativen Wert nur für die Länder haben, die durch ihre Bischöfe beim Konzil vertreten sind“. Papst Eugen III. hält es zum Beispiel für nützlich oder auch für notwendig, daß die Dekrete des Generalkonzils, welches er 1148 mit großer Beteiligung in Reims gehalten hat, wenige Monate später auf dem Generalkonzil von Cremona wiederholt werden[25].

Das Erste Laterankonzil unterschied sich sachlich nicht von den früheren Lateransynoden der Reformzeit, leitete aber doch „insofern eine neue Periode ein, als fortan die Päpste wichtigere kirchliche Fragen mit den Kardinälen und zufällig anwesenden Bischöfen im Konsistorium entschieden und nur selten allgemeine Synoden beriefen“[26]. Die wichtigsten Texte der Lateransynoden von 1123 und 1139 wurden in das Decretum Gratiani (um 1140) aufgenommen. Den Laterankonzilien von 1179 und 1215, sowie dem Ersten Konzil von Lyon (1245) wurde von den Kanonisten eine deutliche Vorzugsbehandlung zuteil[27].

Akten, protokollarische Niederschriften, sind von den Laterankonzilien nicht vorhanden. Die Angaben über die Teilnahme an diesen Versammlungen gehen weit auseinander. Innocenz II. lädt 1139 die Bischöfe und Äbte des Abendlandes zu einer „Plenarsynode“ ein, während sonst der Ausdruck „Generalsynode“ üblich ist. Vielfach wird betont, daß Bischöfe und Äbte aus vielen oder fast allen Ländern der abendländischen Christenheit erschienen sind[28].

Im Pontifikat Innocenz' III. (1198–1216) taucht schon am Beginn der Gedanke eines Generalkonzils auf. Doch wurde die Synode erst gegen Ende der Regierung des Papstes abgehalten. Die päpstliche Absicht tritt deutlich zutage, der Versammlung den Charakter eines ökumenischen Konzils in der Art der alten Konzilien zu geben. Die Errichtung des Lateinischen Kaisertums im Osten nach der Eroberung Konstantinopels (1204) mochte den Papst in dieser Absicht bestärken. Am 19. April 1213 richtete Innocenz an alle Patriarchen,

---

[25] Ebda. 146 f.
[26] F. Kempf, in: Handbuch der Kirchengeschichte III/1, 459 f.
[27] G. Fransen, Die Ekklesiologie, 147 f.
[28] COD 195.

Erzbischöfe und Bischöfe des Ostens und Westens die Einladung, zum 1. November 1215 zum allgemeinen Konzil nach Rom zu kommen. Das Ziel war die Befreiung des Heiligen Landes und die Reform der Gesamtkirche. Alle Bischöfe, nur zwei in jeder Provinz ausgenommen, wurden zur Teilnahme verpflichtet; ebenso sollten Vertreter der Kathedral- und Stiftskapitel erscheinen. Geladen wurden ferner die Großmeister der Ritterorden, der Kaiser von Konstantinopel, die christlichen Könige, die Generale der Mönchsorden, das Kapitel von Konstantinopel, weil die Wahl des neuen Patriarchen noch nicht bestätigt war, der Katholikos von Armenien und die Patriarchen von Antiochien und Jerusalem. Eine ungewöhnlich hohe Beteiligung machte dieses Laterankonzil zur glanzvollsten Kirchenversammlung des mittelalterlichen Abendlandes. Es erschienen über 400 Bischöfe aus achtzig Kirchenprovinzen, über 800 Äbte und Prioren und eine große Zahl von Vertretern abwesender Bischöfe und der Kapitel. Der kirchliche Osten war allerdings, vom Primas der Maroniten abgesehen, nur mit dem lateinischen Episkopat aus Griechenland und den Kreuzfahrerstaaten vertreten. Der Staufer Friedrich II. erschien persönlich, der lateinische Kaiser von Konstantinopel, die Könige von Frankreich, Ungarn, Jerusalem, Zypern und England hatten Gesandte geschickt. „Innozenz III. durfte wohl mit Recht annehmen, diese einzigartige Repräsentation des Abendlandes bestätige seine vieljährigen Bemühungen, den päpstlichen Primat bis an die äußersten Grenzen der Christenheit zur praktischen Geltung zu bringen“[29]. Das Konzil wurde in drei feierlichen Sitzungen durchgeführt (11., 20. und 30. November 1215). In seiner Eröffnungsrede knüpfte der Papst, wohl schon im Vorgefühl des nahen Todes, an das Herrenwort an: Sehnlichst habe ich darnach verlangt, dieses Passah mit euch zu essen (Lk 22,15). Passah deutete er als Übergang in dreifachem Sinn: als Übergang vom Abendland zur Befreiung Jerusalems, als Übergang von der Lauheit zur Reform der ganzen Kirche und als Übergang vom irdischen Leben in das Reich der ewigen Herrlichkeit. Damit waren, wie schon im Berufungsschreiben, auch die Hauptaufgaben der Versammlung genannt. Über die Beratungen sind wir im einzelnen nicht unterrichtet. Aber das Ergebnis der Verhandlungen liegt in

[29] H. Wolter, in: Handbuch der Kirchengeschichte III/2, 209. – COD 227 bis 229.

den 70 Constitutiones vor, die in das allgemeine Recht der lateinischen Kirche eingegangen sind[30]. Das Laterankonzil von 1215 ist ein eindrucksvolles Zeugnis dafür, mit welchem Ernst die abendländische Kirche des hohen Mittelalters unter Leitung eines großen Papstes den Erfordernissen der Zeit gerecht zu werden suchte. Man erlebte auf dieser Versammlung das Papsttum in der überragenden Gestalt Innocenz' III. auf dem Gipfelpunkt seiner geistlich-weltlichen Autorität. Gervasius von Tilbury gab den Stand der tatsächlichen Machtverhältnisse wohl richtig wieder, wenn er Innocenz III. den „wirklichen Kaiser" nannte. Die „geistliche Weltherrschaft" des Papsttums konnte zwar nicht lange gehalten werden. Aber der Anspruch blieb das ganze 13. Jahrhundert bestehen[31]. In der Verwaltung und im kanonischen Recht erfahrene Päpste bauten namentlich in der ersten Hälfte des Jahrhunderts den päpstlichen Vorrang in Theorie und Praxis weiter aus. Innocenz IV. (1243–1254) bahnte schließlich mit seinem geschliffenen „Apparatus in quinque libros decretalium"[32] dem Papsttum den freien Weg zur Verfügung „sola voluntate" über das ganze positive Kirchenrecht. Bonifaz VIII. hat am Ende des 13. Jahrhunderts nur zusammengefaßt, was seine Vorgänger bereits ausgesprochen hatten. Neue und starke, wenn auch manchmal schwierige Stützen gewann das Papsttum im selben Jahrhundert an den jungen Bettelorden. Mit ihrer straffen Zentralisation und Beweglichkeit sowie ihrem Einfluß auf die breiten Massen des Volkes leisteten vor allem die Dominikaner und Minoriten den Päpsten wertvollste Hilfe; in ihrem scholastischen Lehrsystem erhielt das Papsttum einen hervorragenden Platz.

Lyon 1245, Lyon 1274, Vienne 1311/12

Die Pontifikate nach dem Tod Innocenz' III. sind alle überschattet von der Auseinandersetzung mit Kaiser Friedrich II. Die Streitigkei-

[30] COD 230–271.

[31] Seppelt, Geschichte der Päpste III 319–389. – Zum Ausbau der päpstlichen Macht in einem wichtigen Bereich: K. Ganzer, Papsttum und Bistumsbesetzungen in der Zeit von Gregor IX. bis Bonifaz VIII. Ein Beitrag zur Geschichte der päpstlichen Reservationen, Köln-Graz 1968.

[32] Venedig 1578. – M. Pacaut, L'autorité pontificale selon Innocent IV, in: Le Moyen Age 66 (1960) 85–119.

ten gingen im Pontifikat Innocenz' IV. rasch in den erbarmungslosen Vernichtungskampf gegen das gesamte staufische Haus über. Nach seiner Flucht aus Italien berief der Papst am 3. Januar 1245 ein Konzil nach Lyon[33]. Aus Frankreich und Spanien kam eine größere Zahl von Bischöfen, wenige nur kamen aus Italien und England, Deutschland war kaum vertreten. Mit etwa 140 bis 150 Bischöfen bot dieses päpstliche Konzil das Bild einer ziemlich kläglichen Versammlung, wenn man an das große Konzil Innocenz' III. denkt. Die drei Sitzungen fanden vom 28. Juni bis zum 17. Juli 1245 statt. Das eigentliche Thema war das Gericht über Kaiser Friedrich II. In der dritten Sitzung (17. Juli) verlas der Papst die Urkunde der Absetzung des Kaisers[34]. Darin wurde Friedrich des wiederholten Eidbruchs beschuldigt, des Sakrilegs, das er durch die Gefangennahme von Prälaten begangen habe, des Verdachts der Ketzerei und der Felonie, weil er seine Lehenspflichten als König von Sizilien nicht erfüllt habe. Friedrich wurde aller Ehren und Würden für verlustig erklärt. Die Untertanen wurden vom Treueid entbunden, die deutschen Fürsten zur Neuwahl aufgefordert. Die Versammlung stimmte dem päpstlichen Spruch zu. Die Verteidigung seines kaiserlichen Herrn hatte sehr geschickt der Großhofrichter Thaddäus von Suessa geführt. Er verfluchte den Tag, der solche Schande gesehen, und appellierte gegen den Spruch an den künftigen Papst und an ein wahrhaft allgemeines Konzil.

Die Zukunft sollte bald erweisen, daß der Bannfluch von Lyon das Kaisertum ins Mark getroffen hatte. Die französische Hilfe, welche die Päpste zur Vernichtung der letzten Staufer nach Italien riefen, sollte dem Stuhl Petri bald weit drückender werden als die Vorherrschaft der Deutschen. Das Papsttum hatte mit dem gesteigerten Machtanspruch in den politischen Bereich hinein seit Gregor VII. eine gefährliche Bahn beschritten. Die politischen Händel verdunkelten mehr und mehr die geistlichen Aufgaben. Dem Sturz des altdeutschen Kaisertums folgte der Niedergang der Weltgeltung des Papsttums auf dem Fuße nach. In dem Kampf der „beiden Häupter der Christenheit" gab es letztlich keinen Sieger. Beide In-

---

[33] COD 273–301. – H. Wolter – H. Holstein, Lyon I / Lyon II (Geschichte der ökumenischen Konzilien VII), Mainz 1972. Hier die Darstellung des Konzils von Lyon I S. 11–137 (von H. Wolter).

[34] COD 278–283.

stitutionen hatten unwiederbringlich an Macht und Ansehen eingebüßt.

Das Lyoner Konzil Innocenz' IV. genoß nur geringes Ansehen, anders das Konzil, das Gregor X. (1271–1276) für das Jahr 1274 nach Lyon berief[35]. In diesem tiefreligiösen Papst lebte die Begeisterung der ersten Kreuzfahrer wieder auf. Sein eigentliches Ziel war die Befreiung der heiligen Stätten. Im Zusammenhang damit erstrebte der Papst angelegentlich die Union mit den Griechen, die durch die Rückeroberung Konstantinopels (1261) dem Lateinischen Kaiserreich das Ende bereitet hatten. Kaiser Michael VIII. Palaiologos war vor allem aus politischen Gründen zu Unionsverhandlungen bereit, weil diese Union Karl von Anjou zum Aufgeben der bedrohlichen Angriffspläne auf das griechische Reich genötigt hätte. Infolge des verständlichen Lateinerhasses im Osten – die bösen Übergriffe der letzten Jahrzehnte standen in aller Erinnerung – stellten sich der Union schwere Hindernisse entgegen.

In seiner Eröffnungsrede nannte der Papst drei Aufgaben der Versammlung: Hilfe für die Heiligen Stätten in Palästina, die Union mit den Griechen und die Kirchenreform. Das Konzil war gut besucht. Am 24. Juni traf die griechische Gesandtschaft in Lyon ein. Sie bestand aus dem früheren Patriarchen Germanus, dem Metropoliten Theophanes von Nicaea und dem Großlogotheten Georg Akropolita. Der Großlogothet überreichte ein Schreiben des Kaisers, in dem gemäß den mit dem päpstlichen Legaten in Konstantinopel getroffenen Vereinbarungen der Glaube der römischen Kirche einschließlich des Ausgangs des Heiligen Geistes vom Vater und Sohn und des päpstlichen Primates anerkannt war. In Wirklichkeit waren den bedrängten Byzantinern die römisch-lateinischen Formeln aufgezwungen worden. Schon am Fest der Apostelfürsten wurden beim Gottesdienst Epistel und Evangelium lateinisch und griechisch gelesen und das Glaubenssymbol mit dem Zusatz des Filioque gesungen. In der vierten Konzilssitzung, am 6. Juli, verkündete der Papst feierlich den Abschluß der Union. Im Namen seines Kaisers beschwor der Großlogothet den Glauben der römi-

---

[35] COD 303–331. – Darstellung des Konzils von Lyon II in dem Anm. 33 genannten Werk S. 139–266 (von H. Holstein). – P. Frowein, Der Episkopat auf dem 2. Konzil von Lyon (1274), in: Annuarium Historiae Conciliorum 6 (1974) 307—331.

schen Kirche und die Anerkennung des Primates in der römischen Formulierung[36]. Die übrigen griechischen Gesandten traten der feierlichen Erklärung bei. Doch sollte sich bald zeigen, daß die Union von 1274 schon bei ihrer Verkündigung zum Untergang verurteilt war. Der größte Teil des griechischen Klerus, besonders die Mönche, und das Volk wollten von der Union nichts wissen. Auch den intensiven päpstlichen Bemühungen um einen neuen Kreuzzug blieb schließlich der Erfolg versagt. Von den Reformdekreten erlangte die Neuordnung der Papstwahl mit dem Erlaß der strengen Konklaveordnung[37] die größte Bedeutung. Am 17. Juli 1274 wurde das zweite Konzil von Lyon beschlossen.

Die drei großen Konzilien des 13. Jahrhunderts sind wie die vorangegangenen Lateransynoden des 12. Jahrhunderts vom Papst berufen und geleitet. Der Papst führt persönlich den Vorsitz. Die Ausführung der Beschlüsse liegt in der persönlichen Verantwortung der Päpste. Und doch liegt der – unterschiedliche – Erfolg dieser päpstlichen Generalkonzilien mehr in der Person des Papstes begründet, als daß man von einem endgültigen Sieg des Papsttums als Institution sprechen könnte. Von dieser Betrachtung her erklärt sich auch der besondere Rang des Laterankonzils Innocenz' III. (1215)

---

[36] Zur Problematik H. Holstein 195–206, 211–220; S. 298–302 das Glaubensbekenntnis des Kaisers Michael Palaiologos vom 6. Juli 1274, u. a. mit der ausdrücklichen Anerkennung des Filioque, der katholischen Lehre vom Fegfeuer, der sieben Sakramente, der transsubstantiatio in der Eucharistie und des Vorrangs der römischen Kirche: „Auch besitzt die heilige römische Kirche den höchsten und vollen Vorrang und die Herrschaft über die gesamte katholische Kirche. Sie ist sich in Wahrheit und Demut bewußt, daß sie diesen Vorrang vom Herrn selbst im heiligen Petrus, dem Fürsten und Haupt der Apostel, dessen Nachfolger der römische Bischof ist, mit der Fülle der Gewalt empfangen hat. Wie sie vor allen andern zur Verteidigung der Glaubenswahrheit verpflichtet ist, so müssen auch alle auftauchenden Fragen über den Glauben durch ihr Urteil entschieden werden. Jeder Angeklagte hat das Recht, in Fragen, die der kirchlichen Gerichtsbarkeit unterstehen, an sie Berufung einzulegen, und in allen Angelegenheiten, die zum kirchlichen Bereich gehören, kann man sich an ihr Urteil wenden. Ihr sind alle Kirchen unterstellt und ihr erweisen deren Vorsteher Gehorsam und Ehrfurcht. Diese Machtfülle aber besitzt sie in der Weise, daß sie auch die andern Kirchen an ihren Sorgen teilhaben läßt. Viele von ihnen, besonders die Patriarchatskirchen, hat dieselbe römische Kirche mit besonderen Vorrechten ausgestattet, doch bleibt ihr eigener Vorzug auf allgemeinen Kirchenversammlungen wie auch in anderen Dingen stets gewahrt." S. 301. Diese römische Konzeption des Vorranges entspricht keineswegs dem geschichtlichen Bild des ersten Jahrtausends der Kirchengeschichte.

[37] Constitutio „Ubi periculum". COD 314.

und des Konzils von Lyon Gregors X. (1274) unter allen Konzilien dieser Jahrhunderte. Die bedeutenden, lang regierenden Päpste hatten im 12./13. Jahrhundert Autorität und Ansehen des Papsttums gefestigt. Auf dem zweiten Konzil von Lyon hatte nun selbst der byzantinische Kaiser die Führungsmacht des Papstes über die Kirche des Westens und Ostens anerkannt. Aber das schöne Bild erwies sich als kurzer Traum. Gregor X. starb bereits am 10. Januar 1276. In wenigen Jahren zerrannen alle großen Hoffnungen, die sein Konzil geweckt hatte. Von bleibender Bedeutung erwies sich schließlich nur die konziliare Gesetzgebung. Man hat betont, die Gesetzgebung des Laterankonzils von 1215 sei die wichtigste Rechtskodifikation gewesen, die in der Kirche vor dem Konzil von Trient vorgenommen wurde. Diese Gesetzgebung wurde auf den beiden Konzilien von Lyon fortgesetzt. Demgegenüber erscheinen Beschlüsse zu ganz aktuellen Fragen als übereilt, fast naiv und daher als verfehlt, so die Absetzung Kaiser Friedrichs II. in Lyon 1245 und die dem byzantinischen Kaiser praktisch aufgezwungene Union von 1274[38]. Wenn die Papstmacht glaubte, die Notlage eines Partners zur Durchsetzung eigener Machtvorstellungen nützen zu können, hat sich dies in der Geschichte stets als schlechtester Dienst an der Einheit der Kirche erwiesen und in kürzerer oder längerer Zeit zur Krisis der päpstlichen Autorität geführt.

Das Papsttum des 13. Jahrhunderts schien über die höchste weltliche Macht, das Kaisertum, gesiegt zu haben. Der Triumph war teuer erkauft und wurde mit verheerenden politischen und innerkirchlichen Verwüstungen bezahlt. Daß der Sieg nur vordergründig errungen war, zeigte sich im Pontifikat Bonifaz' VIII. und auf dem Konzil von Vienne 1311/12. Den veränderten politischen Machtverhältnissen entsprechend war der Gegenspieler des Papsttums nun nicht mehr das römisch-deutsche Kaisertum, sondern die neue Vormacht Frankreich.

Das Papsttum hatte das überall erwachende nationale Bewußtsein im 13. Jahrhundert übersehen. Überall im Abendland war die Erbitterung über ein „verweltlichtes" Papsttum gewachsen, über die mißbräuchliche Verwendung von Kreuzzugszehnten und Steuergeldern, über die allzu häufig aus politischen Gründen verhängten

---

[38] H. Wolter – H. Holstein 260 f.

Kirchenstrafen über Könige und Reiche. Aus vielerlei Wurzeln wuchs die Sehnsucht nach dem „Papa angelicus", der die bedrängte Kirche erneuern und das Zeitalter des Heiligen Geistes heraufführen werde[39]. Aber auf den frommen, einfältigen Einsiedler Cölestin V. folgte der herrscherliche Bonifaz VIII. (1294–1303). Sein Versuch, die Weltmachtstellung des Papsttums zur allgemeinen Anerkennung zu bringen, endete in der Katastrophe von Anagni. Der Zusammenbruch war vollkommen. Und doch wäre es abwegig, im Führungsanspruch der Päpste von Gregor VII. bis Bonifaz VIII. einfach das Streben nach Weltherrschaft zu sehen. Das tiefste Anliegen der großen Päpste dieser Epoche war es, die abendländische Christenheit in christlichem Geist zu erhalten und nach Möglichkeit tiefer zu verchristlichen. Die Aufgabe einer starken geistlichen Führung schien um so drängender, je mehr die universale und sakrale Geltung des Kaisertums, wie sie die frühmittelalterliche Welt in einigen Höhepunkten erlebt und anerkannt hatte, schwand. Angesichts der Verfassung der mittelalterlichen Welt, vor allem angesichts der unklaren Grenzen des geistlichen und weltlichen Bereichs, mußte jeder geistliche Führungsanspruch sofort zu schwerwiegenden politischen Konsequenzen führen. Gerade die bedeutenden Kanonisten des Hochmittelalters zeigen, wie ernst man im kirchlichen Raum mit dem schwierigen Problem gerungen hat, die legitimen Rechte der geistlichen und weltlichen Gewalt, der Kirche und des entstehenden staatlichen Bewußtseins, klar herauszustellen und in das richtige Verhältnis zu bringen. Eine wirklich befriedigende Lösung war freilich dem Mittelalter nicht mehr beschieden[40].

Das Konzil von Vienne, das Clemens V. vom 16. Oktober 1311 bis zum 6. Mai 1312 abhielt, zeigt deutlich in seinem entfalteten

---

[39] Vgl. F. Baethgen, Der Engelpapst, Leipzig 1943.

[40] Vgl. W. Ullmann, The Growth of Papal Government in the Middle Ages. A Study in the Ideological Revolution of Clerical to Lay Power, London [1]1955, [2]1962, [3]1970; deutsch: Die Machtstellung des Papsttums im Mittelalter. Idee und Geschichte, Graz-Wien-Köln 1960, [2]1969; ders., A Short History of the Papacy in the Middle Ages, London 1972. – F. Kempf, Die päpstliche Gewalt in der mittelalterlichen Welt, in: Saggi storici intorno al Papato, Rom 1959, 117–169; ders., in: Handbuch der Kirchengeschichte II/1, 401–461, 485–515. – J. A. Watt, The Theory of Papal monarchy in the thirteenth century. The contribution of the canonists, London 1965. – G. Schwaiger, Der päpstliche Primat in der Geschichte der Kirche, in: Zeitschrift für Kirchengeschichte 82 (1971) 1–15.

Ritus den Ablauf eines päpstlichen Konzils des Spätmittelalters[41]. Drei Aufgaben nannte der Papst: die entstandenen Fragen um den Templerorden, die Wiedergewinnung des Heiligen Landes, die Reform und die Freiheiten der Kirche. Entgegen dem Brauch war nur eine Auswahl von Bischöfen geladen. Die Liste war vorher mit dem König von Frankreich abgesprochen worden. Es erschienen 20 Kardinäle, 4 Patriarchen, 29 Erzbischöfe, 79 Bischöfe und 38 Äbte. Notdürftig konnte man von einer Repräsentation der abendländischen Kirche sprechen. Viele ferngebliebene Bischöfe ließen sich durch Prokuratoren vertreten. Das Konzil von Vienne stand völlig im Schatten der Niederlage des Papsttums unter Bonifaz VIII. Die Tragödie um den Untergang des Templerordens[42], die schwächliche Haltung Clemens' V., um das Ketzergericht über Bonifaz abzuwenden, beherrschten die bedrückende Szenerie. Und doch kündigte sich in den Reformplänen des Bischofs Durandus von Mende bereits die kommende Epoche an. Für das Konzil schrieb er seinen „Tractatus de modo concilii generalis celebrandi et corruptelis in Ecclesia reformandis"[43]. Darin betonte er, daß die notwendige Reform der ganzen Kirche vom Papst ihren Ausgang nehmen müsse, der aber dabei das alte Recht zu beachten habe. Durandus fordert bereits die regelmäßige Berufung von Konzilien alle zehn Jahre.

So bedeutete das Konzil von Vienne eine Wende. „Die päpstlichen Generalkonzilien des Hochmittelalters waren Geschöpfe des Reformpapsttums gewesen. Alle waren sie von den Päpsten berufen und geleitet. Sie waren Bischofskonzilien wie die alten Konzilien, aber erweitert durch die Teilnahme von Äbten, Vertretern der Kapitel, ja auch der Laiengewalten, die zwar kein Stimmrecht im Vollsinn, wohl aber ein Mitspracherecht in den sie selbst betreffenden Angelegenheiten übten. Der Papst gab den Konzilsdekreten ihre letzte Form und nahm sie großenteils in sein Gesetzbuch auf. Er erscheint

[41] COD 333–401. – E. Müller, Das Konzil von Vienne 1311–1312. Seine Quellen und seine Geschichte, Münster i. W. 1934. – J. Lecler, Vienne (Geschichte der ökumenischen Konzilien VIII), Mainz 1965. – K. A. Fink, in: Handbuch der Kirchengeschichte III/2, 373–380.

[42] H. Finke, Papsttum und Untergang des Templerordens, 2 Bde., Münster i. W. 1907. – R. Gilles, Les templiers sont-ils coupables? Leur histoire, leur règle, leur procès, Paris 1957. – G. Charpentier, L'ordre des Templiers, Paris [2]1961 (deutsch Stuttgart 1965). – H. Neu, Bibliographie des Templer-Ordens 1927–1965, Bonn 1965.

[43] Lyon 1531, 1534, Paris 1545, 1561 u. ö.

auf den Konzilien als Haupt der Kirche und zugleich der Christenheit, als die Spitze der Pyramide, die sowohl die Kirche wie die Gemeinschaft der christlichen Völker in sich faßte ... Das Konzil von Vienne war das letzte der päpstlichen Generalkonzilien des Hochmittelalters. Als es tagte, lagen schon die Ideen in der Luft, die den Allgemeinen Konzilien eine weit umfassendere Funktion zuwiesen, als sie bisher erfüllt hatten, nämlich als letzte und höchste Instanz die Einheit der Kirche trotz zwiegespaltenem Papsttum wiederherzustellen und die dringend notwendige Reform der Kirche an Haupt und Gliedern (reformatio in capite et membris) endlich zu verwirklichen"[44].

Konziliarismus und Konzilien des Spätmittelalters: Pisa 1409, Konstanz 1414—1418, Pavia-Siena 1423/24, Basel-Ferrara-Florenz 1431—1443 (Verlegung nach Rom)

Man wird die geläufige Charakterisierung vom „Babylonischen Exil" des Papsttums in Avignon nicht pressen dürfen. Weit folgenschwerer als die Einflußnahme der Könige von Frankreich wirkte sich der Verlust an religiöser Substanz, an geistlicher Autorität und auch an politischem Gewicht gegenüber den erstarkenden Nationalstaaten aus. Der Kampf der Avignon-Päpste gegen Kaiser Ludwig den Bayern — geführt mit Bannflüchen schauerlicher Unchristlichkeit, deren Lektüre heute noch den Atem stocken läßt, — bewies nur, wie bedenklich das Ansehen des Papsttums bereits gesunken war. Die zu oft mißbrauchten geistlichen Waffen waren stumpf geworden, wenn sie auch immer noch über ganze Reiche Unglück und über viele gläubige Menschen Gewissensnot bringen konnten. Letztlich blieb vor allem ein nicht wieder einzubringender Verlust päpstlicher Autorität, was sich im Großen Abendländischen Schisma und bis in die Glaubensspaltung des 16. Jahrhunderts hinein verheerend ausgewirkt hat. Zu diesem Autoritätsverlust trug wesentlich auch bei, daß in Avignon der kuriale Zentralismus unter Mißachtung des älteren Kirchenrechts im neuartigen Stellenbesetzungs- und Finanzsystem gewaltig gesteigert wurde und dadurch die innerkirchliche Einflußnahme des Papstes bedeutend erweitert schien. Mit dem päpstlichen Anspruch stieg der Unmut in der Kirche über das Papst-

---

[44] H. Jedin, Kleine Konziliengeschichte, 60 f.

tum, wie ungezählte Quellenzeugnisse des Spätmittelalters und der Reformationsepoche beweisen. Nichts hat in der gesamten Kirchengeschichte der geistlichen Autorität mehr Schaden gebracht, als wenn sie ihren Anspruch übersteigert hat und nicht einsichtig begründen konnte.

Der Ruf nach einer „Reform an Haupt und Gliedern" kam nicht mehr zum Verstummen, was immer die einzelnen Rufer darunter verstehen mochten. Jetzt erhob sich radikale, grundsätzliche Kritik am Papsttum selbst, bei Marsilius von Padua, Wilhelm von Ockham, John Wyclif und Jan Hus. Das „Exil" hatte das Papsttum so geschwächt, daß seine tiefste Erniedrigung anbrach: das Große Abendländische Schisma seit 1378, nicht von weltlichen Mächten aufgezwungen, wie so oft Gegenpäpste in vergangener Zeit, sondern von den höchsten kirchlichen Kreisen bereitet. Die schwierige Frage, ob nach 1378 der Papst in Rom oder der in Avignon die bessere Legitimität besaß, konnten weder die Zeitgenossen befriedigend beantworten, noch kann dies bislang der Kirchenhistoriker. Im Notstand der Kirche erstarkte die schon bei früheren Theologen und Kanonisten grundgelegte, in altkirchlichem Denken wurzelnde Auffassung, daß das Allgemeine Konzil als Repräsentation der Gesamtkirche die höchste Autorität in der Kirche darstelle, auch den Papst nötigenfalls richten und absetzen könne. Man hat mit guten Gründen darauf hingewiesen, daß es im einzelnen soviele „Konziliare Ideen" und „Konziliare Theorien" gebe als Köpfe, die solche Gedanken damals entwickelt haben. Ohne Zweifel war bei nicht wenigen extremen Papalisten und extremen Konziliaristen theologische Vernunft durch ideologische Unvernunft ersetzt. Aber die Not der Christenheit lag schließlich vor aller Augen, und Tatsache ist, daß von allen möglichen Wegen schließlich nur die via synodi zum Ziel geführt hat: über das Konzil von Pisa (1409) nach Konstanz (1414 bis 1418)[45].

---

[45] Beste knappe Darstellung (mit QQ. u. Lit.) bei K. A. Fink, in: Handbuch der Kirchengeschichte III/2 (1968) 490–516 (Das große Schisma bis zum Konzil von Pisa), 545–572 (Das Konzil von Konstanz. Martin V.). – W. Brandmüller, Die Gesandtschaft Benedikts XIII. an das Konzil von Pisa, in: Konzil und Papst 169–205. – J. Leinweber, Ein neues Verzeichnis der Teilnehmer am Konzil von Pisa 1409. Ein Beitrag zur Frage seiner Ökumenizität, ebda. 207–246. – Die Entwicklung des Konziliarismus. Hrsg. v. R. Bäumer, Darmstadt 1976 (Wege der Forschung, Bd. 279).

Das Allgemeine Konzil von Konstanz[46] hat die Einheit der Kirche unter einem allgemein anerkannten Papst – Martin V. (1417 bis 1431) – wiederhergestellt und damit die vordringlichste seiner bekannten drei Aufgaben (causa fidei, causa unionis, causa reformationis) glücklich gelöst. Das Konzil von Konstanz war eine repräsentative Versammlung der ganzen abendländischen Christenheit, die letzte wirklich universale Versammlung vor der reformatorischen Spaltung.

Am 6. April 1415 erließ das Konzil das vieldiskutierte Dekret „Haec sancta synodus“[47]. Darin wird klar ausgesprochen, daß dieses rechtmäßig im Heiligen Geist versammelte Allgemeine Konzil die katholische Kirche repräsentiert, seine Gewalt von Christus unmittelbar hat, daß jeder Mensch, gleich welchen Ranges und welcher Würde, auch wenn es die päpstliche sein sollte, gehalten ist, diesem Konzil in allem zu gehorchen, was den Glauben, die Beilegung des Schismas und die Reform der Kirche an Haupt und Gliedern betrifft.

Der Streit darüber, ob diese Aussage allgemein gelten sollte oder nur für den augenblicklichen Notstand gedacht war, ist alt und bricht bis in die Gegenwart herein immer wieder auf[48]. Karl

---

[46] H. Finke, Acta concilii Constanciensis, 4 Bde., Münster i. W. 1896–1928. – Ulrich Richental, Das Konzil zu Konstanz. Faksimileausgabe und Kommentarband, Konstanz 1964. – A. Franzen – W. Müller [Hrsg.], Das Konzil von Konstanz. Beiträge zu seiner Geschichte und Theologie, Freiburg-Basel-Wien 1964. – A. Franzen, Das Konstanzer Konzil. Probleme, Aufgaben und Stand der Konzilsforschung, in: Concilium 1 (1965) 555–574. – J. Gill, Konstanz und Basel-Florenz (Geschichte der ökumenischen Konzilien IX), Mainz 1967. – R. Bäumer [Hrsg.], Von Konstanz nach Trient. Beiträge zur Geschichte der Kirche von den Reformkonzilien bis zum Tridentinum. Festgabe für August Franzen, München-Paderborn-Wien 1972. – COD 403–451.

[47] „Haec sancta synodus Constantiensis generale concilium faciens, pro exstirpatione praesentis schismatis, et unione ac reformatione ecclesiae Dei in capite et in membris fienda, ad laudem omnipotentis Dei in Spiritu sancto legitime congregata, ad consequendum facilius, securius, uberius et liberius unionem ac reformationem ecclesiae Dei ordinat, diffinit, statuit, decernit, et declarat, ut sequitur. Et primo declarat, quod ipsa in Spiritu sancto legitime congregata, generale concilium faciens, et ecclesiam catholicam militantem repraesentans, potestatem a Christo immediate habet, cui quilibet cuiuscumque status vel dignitatis, etiam si papalis exsistat, obedire tenetur in his quae pertinent ad fidem et exstirpationem dicti schismatis, ac generalem reformationem dictae ecclesiae Dei in capite et in membris ...“ COD 409.

[48] H. Küng, Strukturen der Kirche, Freiburg-Basel-Wien 1962, bes. 244–289. – H. Jedin, Bischöfliches Konzil oder Kirchenparlament? Ein Beitrag zur Ekklesiologie der Konzilien von Konstanz und Basel (Vorträge der Aeneas Silvius Stiftung

August Fink, einer der besten Kenner dieser Epoche der Kirchengeschichte, kommt zu dem Ergebnis: „Von der damaligen politischen und geistigen Lage her gesehen, ist das Konstanzer Konzil in seinem ganzen Verlauf als ökumenisch und sind seine Dekrete als allgemeinverpflichtend zu betrachten“[49]. Neben dem Dekret „Haec sancta“ ist hier vor allem das Konstanzer Dekret „Frequens“[50] (vom 9. Oktober 1417) zu nennen, das die regelmäßige Abhaltung von Allgemeinen Konzilien angeordnet hat. Die Päpste betrachteten das Dekret „Frequens“ ohne Zweifel als verbindlich, wie die Berufung Allgemeiner Konzilien nach Pavia-Siena (1423–1424)[51] und Basel (1431) beweist.

Martin V. arbeitete zielstrebig und erfolgreich daran, dem Papsttum seine frühere Stellung zurückzugewinnen. Unter seinem Nachfolger Eugen IV. (1431–1447) kam es, vor allem durch das Ungeschick des Papstes selbst, zu einer neuen konziliaristischen Krise. Zwar ließ Eugen IV. im Juli 1431 das Allgemeine Konzil in Basel[52]

---

an der Universität Basel, II), Basel-Stuttgart 1963. – A. Franzen, Das Konzil der Einheit. Einigungsbemühungen und konziliare Gedanken auf dem Konstanzer Konzil. Die Dekrete „Haec sancta“ und „Frequens“, in: Das Konzil von Konstanz, 69–112. – H. Riedlinger, Hermeneutische Überlegungen zu den Konstanzer Dekreten, ebda. 214–238. – P. de Vooght, Les pouvoirs du concile et l'autorité du pape au concile de Constance, Paris 1965. – K. A. Fink, Die konziliare Idee im späten Mittelalter (Vorträge und Forschungen, 9), Konstanz 1965. – J. Gill, Il decreto Haec Sancta Synodus del Concilio di Constanza, in: Rivista di storia della chiesa in Italia 21 (1967) 123–130. – J. H. Pichler, Die Verbindlichkeit der Konstanzer Dekrete, Wien 1967. – R. Bäumer, Die Interpretation und Verbindlichkeit der Konstanzer Dekrete, in: Theologisch-praktische Quartalschrift 116 (1968) 44–53; ders., Die Bedeutung des Konstanzer Konzils für die Geschichte der Kirche, in: Annuarium Historiae Conciliorum 4 (1972) 26–45. – W. Brandmüller, Besitzt das Konstanzer Dekret „Haec Sancta“ dogmatische Verbindlichkeit?, in: Annuarium Historiae Conciliorum 1 (1969) 96–113. – B. Tierney, Hermeneutics and History: The Problem of „Haec Sancta“, in: Essays in Medieval History presented to Bertie Wilkinson, Toronto 1969, 354–370. – G. Denzler, Zwischen Konziliarismus und Papalismus. Die Stellung des Papstes im Verständnis der Konzilien von Konstanz (1414–1418) und Basel (1431–1437), in: G. Denzler [Hrsg.], Das Papsttum in der Diskussion, Regensburg 1974, 53–72.

[49] Handbuch der Kirchengeschichte III/2, 567.

[50] COD 438–442.

[51] W. Brandmüller, Das Konzil von Pavia-Siena 1423–1424, 2 Bde., Münster 1968–1975.

[52] Zum Konzil von Basel-Ferrara-Florenz-Rom (1431–1445): COD 453–591. – Concilium Basiliense. Studien und Quellen zur Geschichte des Concils von Basel. Hrsg. v. J. Haller u. a., 8 Bde., Basel 1896–1936. – Th. von der Mühll, Vorspiel zur Zeitenwende. Das Basler Konzil 1431–1448, München 1959. – J. Gill, Kon-

eröffnen, suspendierte es aber bereits im folgenden Dezember ohne triftigen Grund: eine neue Synode sollte unter seinem persönlichen Vorsitz nach eineinhalb Jahren in Bologna zusammentreten. Es kam zu schweren Zerwürfnissen zwischen Papst und Konzil. Die Synode selbst erklärte in einem Rundschreiben an die Christenheit vom 21. Januar 1432 als ihren Beschluß, im Konzil fest zu beharren und unter dem Beistand des Heiligen Geistes an den Aufgaben desselben zu arbeiten. Mit dem von Martin V. und Eugen IV. bestellten Konzilspräsidenten Giuliano Cesarini stellten sich die meisten Kardinäle und Fürsten gegen die päpstliche Suspension. Nur sechs von einundzwanzig Kardinälen blieben beim Papst. Das Konzil selbst erneuerte in der Sitzung vom 15. Februar 1432 die Konstanzer Superioritätsbeschlüsse: daß die Allgemeine Synode ihre Gewalt unmittelbar von Christus habe; daß jedermann, auch der Papst, ihr in Sachen des Glaubens und der allgemeinen Kirchenreform gehorchen müsse und daß der, welcher sich ihr in diesen Punkten widersetze, zu bestrafen sei[53]. Damit war die Oberhoheit des Konzils über den Papst zum zweitenmal auf einem Konzil festgestellt, und diesmal unbestreitbar mit dem Anspruch allgemeinverbindlicher Geltung. Schließlich mußte Eugen IV. am 15. Dezember 1433 die Auflösung zurücknehmen. Er erklärte, daß das Allgemeine Konzil zu Basel von der Eröffnung an rechtmäßig fortgesetzt worden sei und weiter fortgesetzt werden müsse in den drei Verhandlungspunkten: Ausrottung der Irrlehre, Friedensstiftung in der Christenheit und Generalreform der Kirche an Haupt und Gliedern, ganz so, als ob nie eine Aufhebung erfolgt sei. Die von Eugen IV. nach Basel geschickten Präsidenten wurden nur mit erheblichen Einschränkungen zugelassen; sie leisteten den geforderten Eid auf die Konstanzer Dekrete[54]. Von diesem Zeitpunkt an hat das gut besuchte Konzil von Basel, in den Jahren 1433 bis 1437, eine reiche

---

stanz-Basel-Florenz (Geschichte der ökumenischen Konzilien IX), Mainz 1967. – K. A. Fink, in: Handbuch der Kirchengeschichte III/2, 572–588. – A. Black, Monarchy and community, New York 1970. – R. Bäumer [Hrsg.], Von Konstanz nach Trient, München-Paderborn-Wien 1972. – G. Denzler, Zwischen Konziliarismus und Papalismus. Die Stellung des Papstes im Verständnis der Konzilien von Konstanz (1414–1418) und Basel (1431–1437), in: G. Denzler [Hrsg.], Das Papsttum in der Diskussion, Regensburg 1974, 53–72.

[53] COD 456 s.

[54] Haller, Concilium Basiliense I 22 f. – COD 476 s.

Tätigkeit entfaltet, vornehmlich auf dem Gebiet der Kirchenreform. In der 18. Sitzung (26. Juni 1434) wurden die Konstanzer Dekrete über die Autorität und Gewalt der Allgemeinen Konzilien wiederum erneuert[55]. Auch die Reform der Papstwahl wurde in Angriff genommen: jeder Papst sollte in Zukunft schwören, daß er den katholischen Glauben, wie er durch die Allgemeinen Konzilien, besonders die von Konstanz und Basel, festgelegt worden sei, bekenne und verteidige, und daß er das Dekret „Frequens" beachte[56].

Es ist nicht verwunderlich, daß Eugen IV. die Entwicklung in Basel mit wachsendem Mißtrauen verfolgte, daß er nur auf eine günstige Gelegenheit wartete, das lästige Konzil für immer loszuwerden. Die immer stärker werdende Spannung zwischen Papst und Konzil führte schließlich zum offenen Konflikt und zum Bruch in der Frage der Union mit den Griechen. Die osmanischen Türken hatten in dieser Zeit das byzantinische Reich bereits bis auf Konstantinopel und die nächste Umgebung erobert. In dieser verzweifelten Lage knüpfte der byzantinische Kaiser Johannes VIII. Palaiologos (1425–1448) Unionsverhandlungen an in der Absicht, durch die kirchliche Union sich die Hilfe des Abendlandes zu sichern. Den griechischen Gesandten bot sich die abendländische Christenheit im Zustand unwürdigen Streites, während das christliche Byzanz bereits in der Agonie sich befand. Der Papst benützte die Auseinandersetzung um den Ort der Unionsverhandlungen, 1437 das Konzil gegen den Willen der Mehrheit der Synodalen nach Ferrara und bald darauf nach Florenz[57] zu verlegen, wo er sich seit der römischen Revolution von 1434 meist aufhielt. Die Union kam in Florenz schließlich zustande, weil der byzantinische Kaiser und der Papst sie brauchten, wenn auch aus recht unterschiedlichen Gründen: der Kaiser benötigte Hilfe gegen die Türken, der Papst eine Anerkennung seiner Autorität gegen die Basler. Deshalb waren beide Partner durchaus zu Kompromissen bereit. Die wichtigsten theologischen Kontroverspunkte bildeten das Filioque, das den Griechen als Hauptursache der Spaltung erschien, die Lehre vom Fegfeuer, Materie und Form der Eucharistie und die Auffassung

---

[55] COD 477.

[56] 11. Sitzung, vom 27. April 1433. COD 466–469.

[57] COD 513–591. – Concilium Florentinum. Documenta et scriptores I–VIII, Rom 1940–1964. – J. Gill, The Council of Florence, Cambridge [2]1961.

vom Primat des Papstes. Vor allem Eugen IV. drängte auf Behandlung des letzten Punktes. Der Kaiser setzte seine Synodalen unter Druck. „Die oberste Instanz in der Kirchenverfassung sahen die Griechen in der Pentarchie, den traditionellen fünf Patriarchaten Rom, Konstantinopel, Alexandrien, Antiochien und Jerusalem. Sie waren durchaus bereit, dem Patriarchen Altroms die Privilegien zuzugestehen, deren er sich vor dem Ausbruch des Schismas erfreute. Von einem Jurisdiktionsprimat konnte keine Rede sein. Aber in knapp drei Wochen wurden die Griechen zu weiterem Nachgeben gezwungen. Doch es war keine echte Lösung, wie die verschiedenen Interpretationsmöglichkeiten zeigten und zeigen“[58]. In den ganzen Verhandlungen traten die verschiedenen Standpunkte und die sehr verschiedene Weise theologischen Denkens und Argumentierens zutage. Dem steten Hinweis der Griechen auf Schrift und Väter als einzige Quelle stand die in der Scholastik entwickelte Konklusionstheologie der Lateiner gegenüber.

Am 6. Juli 1439 wurde in Florenz das Unionsdekret „Laetentur coeli“[59] unterzeichnet und in beiden Sprachen verkündet. Hier wird der römische Vorrang mit diesen Worten umschrieben: „Der Apostolische Stuhl und der Papst besitzt den Primat über den ganzen Erdkreis; der Papst ist als Nachfolger des Petrus und Stellvertreter Christi das Haupt der ganzen Kirche, Vater und Lehrer aller Christen, mit der Gewalt, die ganze Kirche zu leiten, gemäß den Akten und Canones der alten Konzilien“[60]. Von Anfang an wurde dieser letzte Zusatz von Lateinern und Griechen verschieden interpretiert. Dabei hätte gerade die sorgfältige Prüfung der echten Akten und Canones eine tragfähige Basis der Union geben können. Die tatsächliche Durchführung der Union war dem byzantinischen

---

[58] K. A. Fink, in: Handbuch der Kirchengeschichte III/2, 581 f. – A. Leidl, Die Primatsverhandlungen auf dem Konzil von Florenz als Antwort auf den westlichen Konziliarismus und die östliche Pentarchietheorie, in: Annuarium Historiae Conciliorum 7 (1975) 272–289.

[59] COD 523–528.

[60] „... Item diffinimus sanctam apostolicam sedem et Romanum pontificem in universum orbem tenere primatum, et ipsum pontificem Romanum successorem esse beati Petri principis apostolorum et verum Christi vicarium totiusque ecclesie caput et omnium christianorum patrem ac doctorem existere, et ipsi in beato Petro pascendi, regendi ac gubernandi universalem ecclesiam a domino nostro Iesu Christo plenam potestatem traditam esse, quemadmodum etiam in gestis ycumenicorum conciliorum et in sacris canonibus continetur.“ COD 528.

Kaiser nicht mehr möglich. Sein Herrschaftsgebiet war zu schmal geworden. Von Klerus und Volk des Ostens wurde eine Verbindung mit den seit den Kreuzzügen doppelt verhaßten Lateinern scharf abgelehnt. Nur einige kleinere östliche Teilgemeinschaften nahmen die Verbindung mit dem Papst wirklich auf[61].

Auf dem Konzil in Florenz waren zwar Papst und Kaiser persönlich anwesend, aber von einer wirklichen Repräsentation der Gesamtkirche konnte keine Rede sein. Nur wenige Bischöfe – fast nur Italiener – vertraten die abendländische Kirche. Zu den italienischen Bischöfen kamen einige Franzosen, drei Spanier, zwei Irländer und je ein Bischof aus Portugal und Polen. Niemand war aus dem Reich und aus England erschienen[62].

Seit 1438 gab es zwei Konzilien, die Anspruch auf ökumenische Geltung erhoben. Beide bemühten sich um Anerkennung in der Christenheit wie einst die Päpste oder Papstprätendenten im Großen Schisma. Wieder wurde letztlich die Haltung der politischen Mächte entscheidend. Im Gegensatz zum Papst besaß das in Basel verbliebene Konzil keine reale politische Macht. Seine Bedeutung schwand immer mehr. Daran konnte auch die feierliche Bekräftigung der Superioritätsbeschlüsse als „veritates catholicae" am 16. Mai 1439[63] nichts ändern. Die Synode steigerte sich in wachsenden Radikalismus hinein, bis zur Absetzung Eugens IV. und zur Erhebung des Gegenpapstes Felix V. Die Aktion mußte zum ruhmlosen Scheitern verurteilt sein. In den Anfangsjahren Papst Nikolaus' V. konnten die Wirren um die Basler Restsynode und den Gegenpapst einigermaßen friedlich beigelegt werden.

Die Stellung der Päpste zu den Konzilien des 15. Jahrhunderts ist bis heute immer wieder umstritten. Der entscheidende Punkt ist dabei die in Pisa (1409) angewandte, in Konstanz und Basel zudem ausdrücklich formulierte Lehre von der höheren Gewalt des Allgemeinen Konzils. Verschiedene Auffassungen standen in dieser Frage schon im 15. Jahrhundert – und schließlich bis zum Ersten Vatikanum – sich gegenüber. Gewichtiger als die Position extremer

[61] Unionsdokumente COD 534–559 (Armenier), 567–583 (Kopten), 586–589 (Syrer), 589–591 (Chaldäer und Maroniten).

[62] Unterschriften in: Concilium Florentinum. Documenta et scriptores. Series A Epistolae II 68–79, series B II/1, 115–120.

[63] Mirbt-Aland, Quellen, Nr. 776.

Papalisten und extremer Konziliaristen erscheint die breite mittlere Schicht der Theologen und Kanonisten, die Haltung auch der meisten Bischöfe. Eine unbefangene historische Betrachtung wird hier eine überwältigende Mehrheit für die theologische Auffassung von der höheren Gewalt des Allgemeinen Konzils feststellen müssen. Auch erklärte Papalisten räumten dem Konzil die höhere Autorität ein, zumindest die Prüfung und Feststellung des Tatbestandes in dem extremen Fall, daß ein Papst der Häresie verdächtig sei. Daß das Allgemeine Konzil als Repräsentation der gesamten Kirche (ecclesia universalis) die höchste Autorität in der Kirche besitze, entsprach altkirchlichem Denken. Diesen Anspruch hatten die sieben bzw. acht anerkannten Ökumenischen Konzilien seit Nicaea (325) bezeugt und erwiesen. Nun war freilich auch der Primatsanspruch des Papstes seit den frühchristlichen Jahrhunderten erhoben und in feststellbaren Phasen ausgebaut worden, in einer neuen großen Welle seit den Tagen der „Gregorianischen Reform". Doch die Doktrin der Stellung des Papstes in der Kirche wurde erst 1870 lehramtlich genauer umschrieben. Einzelne Theologen, auch theologische Schulen des Mittelalters und der Neuzeit, vertraten zwar die gleichen oder ähnliche Sätze. Aber von einer allgemeinen Kirchenlehre konnte man keineswegs sprechen. So erschien die Bestätigung der Beschlüsse von Konstanz und Basel durch die Päpste in der verbreiteten Überzeugung der Zeitgenossen nicht notwendig. Das wiederholt von Päpsten ausgesprochene Verbot der Appellation vom Papst an das Allgemeine Konzil erschien nur als Stellungnahme der einen Partei, keineswegs als Glaubensüberzeugung der gesamten Kirche. Solche Verbote wurden seit Martin V. immer wieder geplant und ausgesprochen. Gerade die Notwendigkeit der oftmaligen Wiederholung ist ein Beweis dafür, daß eben die Appellation an das Allgemeine Konzil als die höchste und letzte Instanz als legitimes Recht angesehen wurde, daß man die Konzilien von Konstanz und Basel als verbindlich betrachtete[64]. Zeugnisse dafür

[64] Vgl. R. Bäumer, Das Verbot der Konzilsappellation Martins V. in Konstanz, in: Das Konzil von Konstanz, 187–213; ders., Die Stellungnahme Eugens IV. zum Konstanzer Superioritätsdekret in der Bulle „Etsi non dubitemus", ebda. 337–356; ders., Nachwirkungen des konziliaren Gedankens in der Theologie und Kanonistik des frühen 16. Jahrhunderts, Münster i. W. 1971. – K. A. Fink, Die konziliare Idee im späten Mittelalter (Vorträge und Forschungen 9), Konstanz 1965; ders., in: Handbuch der Kirchengeschichte III/2, 566. – P. de Vooght, Les

bietet die Kirchengeschichte vom späten Mittelalter, über das Jahrhundert der Reformation, über die breite gallikanische und die febronianische Auffassung von der Struktur der Kirche überreichlich, bis ins 19. Jahrhundert herein. Noch französische Bischöfe des beginnenden 19. Jahrhunderts haben an ein Allgemeines Konzil appelliert, als Pius VII. sie dem napoleonischen Konkordat von 1801 geopfert hat.

Die ökumenische Geltung der Konzilien des Mittelalters

Die heute in der katholischen Literatur am meisten verbreitete Zählung der Ökumenischen Konzilien geht auf Robert Bellarmin zurück. Sie ist weniger an der Geschichte als an einer bestimmten apologetischen Konzeption ausgerichtet. Durch die unkritische Übernahme in die große „Conciliengeschichte" Carl Joseph Hefeles hat diese Zählung weiteste Rezeption gefunden. Die tatsächliche Problematik dieser Zählung wurde vor allem in gelehrten Arbeiten von St. Kuttner[65], Cl. Leonardi[66], V. Peri[67] und K. A. Fink[68] aufgezeigt. Die päpstlichen Generalkonzilien des Hochmittelalters waren

---

pouvoirs du concile et l'autorité du pape au Concile de Constance, Paris 1965, 55–80. – Neue Diskussion über die Anfänge der päpstlichen Unfehlbarkeit im Mittelalter: B. Tierney, Origins of Papal Infallibility 1150–1350. A Study on the Concepts of Infallibility, Sovereignty and Tradition in the Middle Ages, Leiden 1972; ders., On the History of Papal Infallibility, in: Theologische Revue 70 (1974) 186–194. Dagegen: R. Bäumer, Antwort an Tierney, ebda. 194 f. – A. M. Stickler, Papal Infallibility – a Thirteenth-Century Invention? In: The Catholic Historical Review 60 (1974) 427–441. Italienisch: Sulle origini dell'infallibilità papale, in: Rivista di Storia della Chiesa in Italia 28 (1974) 583–594. B. Tierney – A. M. Stickler, L'infallibilità e i canonisti medievali, ebda. 29 (1975) 221–234. Weiterführung der Diskussion in: The Catholic Historical Review 61 (1975) 265–273 (Tierney), 274–279 (Stickler).

[65] L'édition Romaine des conciles généraux et les actes du premier concile de Lyon, in: Miscellanea historiae Pontificiae 3 (1940) nr. 5.

[66] Per la storia dell'edizione Romana dei concili ecumenici (1608–1612): da Antonio Agustín a Francesco Aduarte, in: Studi e testi 236, Città del Vaticano 1964, 583–637.

[67] Il numero dei concili ecumenici nella tradizione cattolica moderna, in: Aevum 37 (1963) 430–501; ders., I concili e le chiese. Ricerca storica sulla tradizione d'universalità dei sinodi ecumenici, Rom 1965.

[68] K. A. Fink, Konzilien-Geschichtsschreibung im Wandel?, in: Theologie im Wandel. Festschrift zum 150jährigen Bestehen der Katholisch-Theologischen Fakultät an der Universität Tübingen, 1817–1967, München-Freiburg i. Br. 1967, 179–189.

in der abendländischen Kirche keineswegs den anerkannten acht Ökumenischen Konzilien der alten Christenheit gleichgestellt. Die Bezeichnung „sancta octo generalia concilia“ wurde für das Decretum Gratiani und die Kanonisten zum feststehenden Begriff. Erst Innocenz III. versuchte, seiner Generalsynode von 1215 eine den alten Konzilien gleichkommende Würde zu geben. Einen wertvollen Hinweis auf die tatsächliche Bewertung aus der Zeit heraus gibt das Konzil von Konstanz in seiner 39. Sitzung, vom 9. Oktober 1417. Hier wurde unmittelbar vor der Wahl des neuen Papstes festgelegt, daß künftig jeder erwählte Papst vor der öffentlichen Bekanntgabe der Wahl die professio fidei in Gegenwart seiner Wähler zu leisten habe. Folgende Konzilien sind genannt: „... sacrorum octo conciliorum universalium, videlicet primi Nicaeni, secundi Constantinopolitani, tertii Ephesini, quarti Chalcedonensis, quinti et sexti item Constantinopolitani, septimi item Nicaeni, octavi quoque Constantinopolitani, nec non Lateranensis, Lugdunensis et Viennensis generalium etiam conciliorum“[69]. Mit diesen mittelalterlichen Konzilien sind ohne Zweifel das Laterankonzil von 1215 und die Konzilien von Lyon 1274 und Vienne 1311/12 gemeint. In der 23. Sitzung des Konzils von Basel, vom 26. März 1436, wurde die in Konstanz formulierte professio fidei für den neuen Papst übernommen und dabei den „heiligen acht Konzilien“ angefügt: „nec non Lateranensis, Lugdunensis, Viennensis, Constantiensis, et Basileensis generalium etiam conciliorum“[70].

Eine neue intensive Beschäftigung mit den Konzilien begann mit der Reformation des 16. Jahrhunderts, da nun die Frage der geltenden „Autoritäten“ in den Brennpunkt der Kontroverstheologie gerückt war[71]. Jetzt setzten auch die großen Sammlungen und Editionen der Konzilien verschiedener Art ein. Über die alten Konzilien bestand eine gewisse Einheit der Ansichten, über die Wertung der mittelalterlichen Konzilien gingen die Meinungen weit auseinander, was eben dem tatsächlichen Verlauf der Geschichte entsprach. Eine

---

[69] COD 442.

[70] COD 496.

[71] R. Bäumer, Die Zahl der allgemeinen Konzilien in der Sicht der Theologie des 15. und 16. Jahrhunderts, in: Annuarium Historiae Conciliorum 1 (1969) 288–313; ders., Nachwirkungen des konziliaren Gedankens in der Theologie und Kanonistik des frühen 16. Jahrhunderts, Münster i. W. 1971.

Änderung trat nachweislich erst ein, als am Ende des 16. Jahrhunderts der Plan der römischen Kurie auftauchte, eine amtliche Konzilssammlung herauszugeben. Seit 1577 hatte Bellarmin, zuerst in seinen Vorlesungen am Collegium Romanum, eine Liste von Allgemeinen Konzilien zusammengestellt und hier erstmals die Allgemeinen Synoden des Mittelalters fortlaufend numeriert. Den acht alten Konzilien folgen: 9. Lateranense I, 10. Lateranense II, 11. Lateranense III, 12. Lateranense IV, 13. Lugdunense I, 14. Lugdunense II, 15. Viennense, 16. Florentinum, 17. Lateranense V, 18. Tridentinum. Das Auswahlprinzip Bellarmins ist offenkundig: die Apologetik befiehlt der Geschichte. Was nicht sein darf, ist nicht gewesen oder zumindest nicht so gewesen, wie es die Quellen wiedergeben. Die Entscheidung zur Übernahme der Bellarmin'schen Zählung fiel in der Sitzung der Congregatio super editione conciliorum generalium am 21. Oktober 1595; Kardinal Francisco de Toledo führte den Vorsitz. Besonders aufschlußreich über die klaren Erkenntnisse der hier Versammelten hinsichtlich der ökumenischen Geltung ist das Ergebnis: unter anderem soll man sehen, ob Akten oder Canones der Laterankonzilien unter Calixtus II. und Innocenz II. zu finden sind und ob sie unter den generalia concilia herauszugeben sind; „in praefatione primi concilii occidentalis, quod edendum est, non est dicendum fuisse primum, sed primum ex his, quae reperiri potuerunt." 1606 erschien die Liste Bellarmins zum erstenmal in der von Severin Binius herausgegebenen Konziliensammlung. Nach dem Tod des Kardinals Francisco de Toledo entstand in der Arbeit der genannten römischen Kongregation zunächst eine fast elfjährige Pause. Dann übernahm der inzwischen zum Kardinal erhobene Bellarmin die Edition unter der Mitarbeit des Antonio d'Aquino. Die „Concilia generalia ecclesiae catholicae" erschienen in vier Bänden zu Rom (1608–1612). Die Konzilien von Pisa und Basel fehlten, Konstanz fand nur teilweise Anerkennung[72].

---

[72] Fink, Konzilien-Geschichtsschreibung im Wandel?

IV. Papst und Konzil in der Neuzeit

Seit den Erfahrungen in Pisa, Konstanz und Basel suchten die Päpste das Zustandekommen Allgemeiner Konzilien mit allen Mitteln zu verhindern, weil sie das Konzil fürchteten. Damit wurde aber die wichtigste Instanz preisgegeben, welche die drängende Reformforderung hätte befriedigen können. Da die Reform im 15. Jahrhundert nicht zustandekam, brachte das folgende Jahrhundert die Revolution.

Um das „todbringende Gift" des Konziliarismus aus dem Organismus der Kirche auszuscheiden, verbot Pius II. den „Mißbrauch" der Appellation an ein Allgemeines Konzil (1460). Dieser „erste große Schlag des Restaurationspapsttums gegen den Konziliarismus"[1] brachte aber nicht die erhoffte Wirkung. In Frankreich und Deutschland stieß die Bulle „Execrabilis" auf erheblichen Widerstand und auch in den anderen Ländern wurde sie nur vereinzelt anerkannt. Obwohl Pius II. in der Bulle „Infructuosos palmites" (2. November 1460) und Sixtus IV. in der Bulle „Qui monitis" (15. Juli 1483) die Konzilsappellation erneut streng untersagten, wurde sie doch von Königen, Fürsten, kirchlichen Körperschaften und Einzelpersonen als erlaubtes Rechtsmittel immer wieder gebraucht. Die Rechtmäßigkeit des päpstlichen Verbotes wurde in weiten Kreisen der Kirche bestritten. Bedeutende Theologen und Kanonisten der Zeit betrachteten eben die Konstanzer und Basler Superioritätsdekrete als allgemein verbindliche Glaubenslehre; sie erklärten, die Appellation an das Allgemeine Konzil gründe im Naturrecht und könne daher von keinem Papst verboten werden.

Mit diesen starken Strömungen mußten die Päpste rechnen. Zudem hatte ja das Konstanzer Dekret „Frequens" vorgeschrieben, alle zehn Jahre ein Konzil abzuhalten. Die Nichtbeachtung dieser Vorschrift seit Ausgang der Basler Synode änderte nichts am Anspruch der Christenheit. Die Päpste versuchten auszuweichen. Sie betonten

[1] H. Jedin, Geschichte des Konzils von Trient I, Freiburg i. Br. [2]1951, 52.

die großen Schwierigkeiten eines Konzils und suchten durch päpstliche Fürstenkongresse die nie völlig verstummende Konzilsforderung abzufangen. Solche Veranstaltungen, meist zur Abwehr der Türken einberufen, begannen mit dem Kongreß Pius' II. in Mantua 1459 und setzten sich durch die folgenden Jahrzehnte fort[2].

Einen anderen Weg, den gefährlichen Konziliarismus unschädlich zu machen und zu überwinden, zeigte den Päpsten der Dominikanertheologe Juan de Torquemada († 1468) auf: die Abhaltung eines päpstlichen Konzils in Rom; ein solches Konzil könne ganz nach dem Ermessen des Papstes zusammengesetzt sein und repräsentiere dennoch die Gesamtkirche[3]. Die Ausführung solcher Pläne scheiterte sowohl am mangelnden Ernst der Päpste des 15. Jahrhunderts als auch am Widerstand der einzelnen Länder. Erst Julius II. hat in bedrohlicher Situation ein römisches Konzil einberufen. Der erste wirkliche Konzilsversuch seit Ausgang der Basler Synode ist mit dem Namen des Erzbischofs Andreas Zamometič verbunden, scheiterte aber schon in den Anfängen (1482)[3a].

In dem schweren Konflikt zwischen König Ludwig XII. von Frankreich und Papst Julius II. (1503–1513) beriet eine französische Nationalsynode im September 1510 offen über die Maßnahmen, die man gegen den Papst ergreifen könne. Der König wollte sich nicht mit kriegerischem Vorgehen begnügen, sondern den Papst auch mit geistlichen Waffen schlagen. Die Pragmatische Sanktion von Bourges wurde wieder in Kraft gesetzt, und im Einvernehmen mit dem französischen König beriefen neun Kardinäle, die aus unterschiedlichen Gründen mit Julius II. zerfallen und nach Frankreich geflohen waren, für den 1. September 1511 ein Allgemeines Konzil

---

[2] Ebda. 3–79. – Seppelt-Schwaiger, Geschichte der Päpste IV 361 f.

[3] Jedin, Geschichte des Konzils von Trient I² 55. – P. Theews, Jean de Turrecremata. Les relations entre l'Église et le pouvoir civil d'après un théologien du XVe siècle, Louvain 1943. – K. Binder, Wesen und Eigenschaften der Kirche bei Kardinal Juan Torquemada O. P., Innsbruck 1955. – Ders., Kardinal Torquemada OP über die Veranstaltung allgemeiner Konzilien, in: Auftrag und Verwirklichung, Wien 1974, 68–122.

[3a] J. Schlecht, Andrea Zamometič und der Basler Konzilsversuch vom Jahre 1482, Paderborn 1903. – A. Stoecklin, Der Basler Konzilsversuch des Andreas Zamometič vom Jahre 1482. Genesis und Wende, Basel 1938; ders., Sixtus IV. und die Eidgenossen, in: Zeitschrift für Schweizerische Kirchengeschichte 35 (1941) 161–179; ders., Das Ende der mittelalterlichen Konzilsbewegung, ebda. 37 (1943) 8–30. – Jedin, Geschichte des Konzils von Trient I² 80–84.

nach Pisa[3b]. Auch Kaiser Maximilian I. erklärte sich mit dem Konzilsplan einverstanden. Der verwitwete Kaiser verfolgte damals überdies den abenteuerlichen Gedanken, sich nach dem Ableben Julius' II., mit dessen Tod man gerade einer schweren Krankheit wegen rechnete, sich zum Papst wählen zu lassen, um die beiden höchsten Würden der Christenheit in einer Hand zu vereinen.

In dieser bedrohlichen Situation mußte der Papst seinen Gegnern die Waffe des Konzils entwinden. Deshalb berief er selbst für den 19. April 1512 ein Allgemeines Konzil in den Lateran. Die Berufungsbulle erklärte, daß nur die Kriegswirren und das Unglück Italiens bisher die Berufung verhindert hätten, zu der sich der Papst in der Wahlkapitulation verpflichtet hatte. Die Berufung der Pisaner Synode erklärte der Papst für null und nichtig. Trotzdem trat sie zusammen. Bei sehr geringer Beteiligung wurden in Pisa und dann in Mailand einige Sitzungen abgehalten. Aber größere Bedeutung konnte dieses „Conciliabulum" nicht erlangen. Niemand kümmerte sich um seine Beschlüsse.

Das Laterankonzil des Papstes wurde von Reformfreunden mit hochgespannten Erwartungen begrüßt, die sich nicht erfüllten. Dieses schwach besuchte päpstliche Konzil italienischer Prälaten schleppte sich fünf Jahre (1512–1517)[4] hin. Wohl faßte man einige gute Beschlüsse zur Reform. Aber es fehlten bei den leitenden Persönlichkeiten, angefangen bei Papst Leo X. (1513–1521), der nötige Ernst und die Entschiedenheit zur durchgreifenden Reform. Noch auf dem Konzil von Trient sprachen sich spanische Bischöfe scharf gegen dieses Laterankonzil aus: es habe die Unordnung in der Kirche eher gemehrt als gemindert. Bellarmin nahm diese Synode in seine Liste der Allgemeinen Konzilien auf. Am 16. März 1517 wurde die Lateransynode ruhmlos beschlossen. Damit war die letzte Chance einer „vom Haupte" her zu bewirkenden Reform vertan. Ein halbes Jahr später trat ein unbekannter Augustinermönch

---

[3b] E. Guglia, Zur Geschichte des zweiten Conciliums von Pisa, 1511–1512, in: Mitteilungen des Instituts für österreichische Geschichtsforschung 31 (1910) 593 bis 610. – A. Renaudet, Le concile Gallican de Pise-Milan, Paris 1922. – Jedin, Geschichte des Konzils von Trient I² 84–92.

[4] COD 593–655. – Jedin, Geschichte des Konzils von Trient I² 93–110. – N. H. Minnich, The participants at the Fifth Lateran Council, in: Archivum Historiae Pontificiae 12 (1974) 157–206. – J. Goñi Gaztambide, España y el Concilio V de Letrán, in: Annuarium Historiae Conciliorum 6 (1974) 154–222.

mit 95 lateinischen Sätzen hervor, mit denen er die Aufforderung zur theologischen Disputation verband. Die Reformation hatte begonnen.

Seit Beginn der Reformation wurde ein allgemeines Konzil gefordert, von Luther und seinen rasch wachsenden Anhängern, von den Reichstagen und von vielen, die treu zur alten Kirche standen. In den Anfangsjahren hätte vielleicht die Autorität eines wirklich universalen Konzils, das die Reformatio in capite et membris tatsächlich eingeleitet hätte, die kirchliche Einheit noch retten können[5]. Leo X. und Clemens VII. (1523–1534) stellten teils Gründe persönlichen Wohllebens, teils eigensüchtige politische Motive über die religiöse Verantwortlichkeit gegenüber der gesamten Kirche. Hadrian VI. (1522–1523), in seinem kurzen Pontifikat wegen seiner Reformstrenge bald vom wütenden Haß der ungeistlichen Kurialen verfolgt, starb zu früh, als daß er die Wende hätte wirksam einleiten können. Die allmähliche Hinwendung des Papsttums zur ernsthaften innerkirchlichen Reform brachte erst der Pontifikat Pauls III. (1534–1549), mehr gedrängt als eigenem Drange folgend. In seiner Regierung tritt der Zwiespalt des Übergangs deutlich zutage.

Das Konzil von Trient (1545–1563)[6]

Als das wichtigste Ereignis muß es angesehen werden, daß nun das längst geforderte Allgemeine Konzil endlich zustande kam. Im

---

[5] A. Ebneter, Luther und das Konzil, in: Zeitschrift für katholische Theologie 84 (1962) 1–48. – O. de la Brosse, Le pape e le concile. La comparaison de leur pouvoir à la veille de la Réforme, Paris 1965. – G. Müller, Zur Vorgeschichte des Tridentinums. Karl V. und das Konzil während des Pontifikates Clemens' VII., in: Zeitschrift für Kirchengeschichte 74 (1963) 83–108; ders., Die römische Kurie und die Reformation 1523–1534, Gütersloh 1969; ders., Martin Luther und das Papsttum, in: G. Denzler [Hrsg.], Das Papsttum in der Diskussion, Regensburg 1974, 73–101. – R. Bäumer, Martin Luther und der Papst, Münster i. W. [2]1971; ders., Nachwirkungen des konziliaren Gedankens in der Theologie und Kanonistik des frühen 16. Jahrhunderts, Münster i. W. 1971.

[6] Concilium Tridentinum. Diariorum, actorum, epistularum, tractatuum nova collectio (bisher 15 Bde.), Freiburg i. Br. 1901–1974. – COD 657–799. – G. Schreiber [Hrsg.], Das Weltkonzil von Trient, 2 Bde., Freiburg i. Br. 1951. – H. Jedin, Papst und Konzil. Ihre Beziehungen vor, auf und nach dem Trienter Konzil, in: Kirche des Glaubens II (1966) 414–428; ders., Geschichte

Gegensatz zu seinem Vorgänger hat sich Paul III. ernsthaft um ein Konzil bemüht. Freilich traf er nun, da es bereits zu spät geworden, auf lähmende Skepsis auch der Gutgesinnten. Weil die Synode gerade von den Päpsten immer wieder verhindert worden war, glaubte man nun nicht mehr an das tatsächliche Zustandekommen. Auch König Franz I. von Frankreich arbeitete dem Konzil entgegen, das Kaiser Karl V. nachdrücklich betrieb. Die im Schmalkaldischen Bund vereinigten protestantischen Reichsstände verhielten sich jetzt, da es ernst zu werden schien, ablehnend. Größte Schwierigkeiten bereitete schon die Wahl des Konzilsortes. Die Skepsis griff weiter um sich, als die ersten päpstlichen Ausschreibungen nach Mantua (1536) und Vicenza (1537) infolge vielfacher politischer Hemmnisse vergeblich blieben. Die Schadenfreude der Lutheraner äußerte sich in einer wahren Flut von Spott- und Schmähschriften auf das Konzil des römischen Papstes. Mit beißendem Sarkasmus ließen die Venezianer damals ihren Lido als Konzilsort für die Väter anbieten, wenn man sich schon über den Ort nicht einigen könne; dort sei Platz genug. Auch die kaiserlichen Einigungsversuche durch „Religionsgespräche" mißlangen. Auch eine erste Berufung des Konzils nach Trient für den 1. November 1542 blieb erfolglos. Erst als der Kaiser und der König von Frankreich 1544 Frieden schlossen, waren die unerläßlichen politischen Voraussetzungen geschaffen.

Durch die Bulle „Laetare Jerusalem" vom 19. November 1544 berief Paul III. das Konzil erneut nach Trient. Am dritten Adventssonntag (13. Dezember) 1545 konnte die Kirchenversammlung endlich im Dom von Trient eröffnet werden. Nur neunundzwanzig, meist italienische Kardinäle und Bischöfe waren anwesend. Nur langsam wuchs die Teilnehmerzahl. Die Wahl der Stadt Trient, die damals etwa 6000 Einwohner zählte, bedeutete einen glücklichen Kompromiß. Das Hochstift mit der Bischofsstadt zählte zum Heiligen Römischen Reich. Der Bischof – in dieser Zeit der bedeutende Christoforo Madruzzo – war geistlicher Reichsfürst und Kardinal. Auf der anderen Seite überwog in Trient die italienische Bevölkerung, und der Ort war den südländischen Prälaten nicht ungünstig gelegen.

---

des Konzils von Trient, 4 Bde. (I^2), Freiburg i. Br. 1951–1975; ders., in: Handbuch der Kirchengeschichte IV 487–520.

Die Leitung der Versammlung lag bei drei päpstlichen Legaten, den Kardinälen Giovanni del Monte, Marcello Cervini und dem Engländer Reginald Pole. Zwei Hauptaufgaben waren dem Konzil gestellt: Festlegung der angegriffenen Glaubenslehren und Kirchenreform. Nach schwierigen Verhandlungen über die Priorität der beiden Punkte einigte man sich auf parallele Behandlung. Der Kaiser hatte nämlich immer darauf gedrängt, zuerst die Reformmaßnahmen zu beschließen, um dadurch die Angriffe der Reformatoren zu entkräften. An der römischen Kurie aber fürchtete man, daß damit die verbreiteten Gravamina gegen den Heiligen Stuhl in den Vordergrund gerückt würden oder daß gar – wie in Konstanz und Basel – die Oberhoheit des Konzils über den Papst erneut ausgesprochen werde. – Man kann den Kardinal Del Monte als das Haupt, den Kardinal Cervini als das Herz der ersten Sitzungsperiode bezeichnen. Beide Männer sollten in kurzem nacheinander den Stuhl Petri besteigen.

Die Organisation und Geschäftsordnung des Konzils wich erheblich von der Verfassung der Reformkonzilien des 15. Jahrhunderts ab. Jetzt wurde nach Köpfen, nicht mehr nach Nationen abgestimmt. Volles Stimmrecht (votum decisivum) besaßen nur die Bischöfe, die Generaloberen und die Vertreter monastischer Kongregationen, nicht aber die bischöflichen Prokuratoren oder die Vertreter kirchlicher Körperschaften, wie der Domkapitel oder Universitäten. Diese letzteren Konzilsteilnehmer, meist Theologen und Kanonisten, konnten nur in den Theologenkongregationen – als Gutachter und Berater – ihren Einfluß geltend machen (votum consultativum).

Auf der ersten Sitzungsperiode des Konzils wurden bereits wichtige Entscheidungen getroffen. Namentlich Del Monte drängte auf pausenlose Beratungen und Zusammenkünfte, um die auseinanderstrebenden Väter und Gesandten in Trient zu halten. In der 4. Sitzung wurde der Kanon der Heiligen Schrift festgestellt (mit Einschluß der sogenannten deuterokanonischen Bücher des Alten Testaments) und die Tradition, die lebendige Überlieferung des Glaubens, als Glaubensquelle neben der Heiligen Schrift erklärt. In der 5. Sitzung wurde das Glaubensdekret über die Erbsündelehre verkündet, in der 6. Sitzung (7. Januar 1547) das klassische Dekret über die Rechtfertigung veröffentlicht. Auf dieses umfangreiche Dekret hatte man besondere Sorgfalt verwendet. Freilich wissen wir heute deutlicher als die Konzilsväter, daß nicht so sehr die Rechtfertigungslehre als der grundlegend verschiedene katholische und reformatorische Kirchenbegriff die tiefste Trennung bedeutet hat und noch heute bedeutet.

Weitere dogmatische Dekrete der ersten Sitzungsperiode handelten von den sieben Sakramenten allgemein und von Taufe und Firmung im besonderen. Die gleichzeitig beschlossenen Reformdekrete betrafen die Predigt; sie forderten die Errichtung von Lehrstühlen zur Erklärung der Heiligen Schrift an Dom- und Kollegiatkirchen und, soweit möglich, in Klöstern; sie schärften Bischöfen und Priestern streng die Residenzpflicht in ihren Sprengeln ein, verboten die Pfründenhäufung, behandelten die von einem Bischofskandidaten zu fordernden Eigenschaften, regelten die Verleihung von Benefizien und ordneten regelmäßige Visitationen an.

Als großer Nachteil erwies sich die geringe, fast bedeutungslose Vertretung der deutschen Bischöfe. Ihr hauptsächlichster Entschuldigungsgrund, die angespannte politische Lage im Reich gestatte keine längere Abwesenheit, bestand zu Recht; denn die benachbarten protestantischen Fürsten trachteten alle danach, die Bischofsstühle und Hochstifte der Umgebung in ihre Gewalt zu bringen und dann völlig der Reformation zuzuführen. Aber viele deutsche Bischöfe der Zeit hatten auch weder die Priester- noch die Bischofsweihe empfangen, so daß sie schon deswegen nicht auf einem Reformkonzil erscheinen konnten. Es fehlte ihnen vielfach auch eine tiefere theologische Bildung, durch welche sich besonders die spanischen Prälaten in Trient auszeichneten. Im ganzen offenbarte die geringe Beteiligung Deutschlands an den Trienter Beratungen doch wiederum die innere Schwäche der Reichskirche in dieser Zeit. Diese Schwäche konnte durch die Vertreter der kaiserlichen Forderungen auf dem Konzil nur zum Teil ausgeglichen werden. Denn die kaiserliche Partei bestand in der Hauptsache aus den Bischöfen der außerdeutschen Habsburger Lande (Spanien, Neapel-Sizilien).

Dem Konzil von Trient mangelte es von Anfang an nicht an farbigen, wenn auch nicht immer erbaulichen Szenen. Gelegentlich ereigneten sich heftige Auftritte zwischen Bischöfen und dem Konzilspräsidenten Del Monte. In der Generalkongregation vom 30. Juli 1546 kam es zwischen Del Monte und dem spanischen Kardinal

Pacheco, dem Vertreter des Kaisers, zu einer stürmischen Szene. Kardinal Madruzzo mischte sich ein und forderte den Präsidenten gereizt auf, mit dem Konzil höflicher und christlicher umzugehen. Im scharfen Wortwechsel schleuderte Pacheco dem Präsidenten Del Monte entgegen: „Ihr behandelt uns wie Bediente!" Die Erregung wuchs, so daß der Erzbischof von Palermo auf den Knien mit aufgehobenen Händen und unter Tränen die drei streitenden Kardinäle bat, der fürchterlichen Szene ein Ende zu machen[7].

Hinter solchen Auftritten stand die wieder sich verschärfende Spannung zwischen Kaiser und Papst. Del Monte drohte bereits versteckt mit einer Translation des Konzils in eine Stadt des Kirchenstaates. Unter den italienischen Bischöfen griff eine große Konzilsmüdigkeit um sich. Einige Krankheitsfälle, die man auf Flecktyphus deutete, gaben den päpstlichen Legaten und Konzilspräsidenten Del Monte und Cervini den willkommenen Anlaß, die Versammlung aus dem Machtbereich des Kaisers in eine italienische Stadt zu verlegen. Die kaiserliche Partei erhob scharfen Protest; denn nie und nimmer konnte man die Protestanten bewegen, ein Konzil in einer italienischen Stadt oder gar im Kirchenstaat zu besuchen. Trotzdem beschloß die Mehrheit am 11. März 1547 die Verlegung nach Bologna im Kirchenstaat. Der letzte Anstoß dazu war wohl von Cervini ausgegangen. Er war nämlich der Ansicht, daß die Erhaltung des katholischen Glaubens und die Kirchenreform in den romanischen Ländern das vordringlichste und auch sicher erreichbare Ziel des Papsttums sei. Verhängnisvoll aber war seine Meinung, die katholische Kirche in Deutschland müsse man vorläufig verloren geben.

Der übereilte Schritt erwies sich bald als schwerer Fehler. Das so verheißungsvoll begonnene Reformwerk des Konzils war aufs schwerste bedroht. Zeitweilig schien sogar die Gefahr eines Schismas nahegerückt, da die überstimmte Minderheit der kaiserlichen Prälaten in Trient blieb. Die kaiserliche Partei vermutete hinter der überraschenden Verlegung des Konzils ein Ränkespiel des Papstes. Zu Unrecht. Wohl legten die Legaten dem Konzil die bisher streng geheimgehaltene Bulle vom 22. Februar 1545 vor, die sie notfalls zur Translation ermächtigte. Aber diese Ermächtigung lag, wenn

---

[7] Jedin, Geschichte des Konzils von Trient II 186 f.

auch unwiderrufen, zwei Jahre zurück. Die plötzliche Verlegung erfolgte in Wirklichkeit ohne Vorwissen des Papstes. Paul III. konnte es nicht zweifelhaft sein, daß unabsehbare Schwierigkeiten mit dem Kaiser folgen mußten. Trotzdem erteilte er dem Vorgehen seiner Legaten und der Konzilsmehrheit nach schweren Bedenken seine nachträgliche Billigung. Tatsächlich wurde die Verlegung des Konzils nach Bologna kraft päpstlicher Vollmacht die Rettung der deutschen Protestanten in höchster Not.

Kaiser Karl V., damals nach seinem Sieg über die Schmalkaldener bei Mühlberg auf dem Höhepunkt seiner Macht, war äußerst empört. Jetzt schien ihm ja die Rückführung der Protestanten unter gewissen Zugeständnissen in greifbare Nähe gerückt. Alle Hoffnungen, die er auf ein Unionskonzil gesetzt hatte, schienen jetzt zerstört, da sich die protestantischen Reichsstände gewiß nicht auf ein Konzil im Machtbereich des Papstes einlassen würden. Es kam zu langwierigen Verhandlungen zwischen Kaiser und Papst. Um diese nicht zu stören und um den Kaiser nicht noch mehr zu reizen, mußte die Synode in Bologna von der Verkündigung neuer Glaubens- und Reformdekrete absehen. Zwar wurde in den Kommissionen weiterhin eifrig gearbeitet, aber in den beiden Sitzungen zu Bologna wurden doch nur Vertagungsbeschlüsse publiziert.

Nach der Translation hatte der Kaiser alle weiteren Aktionen des Konzils für null und nichtig erklärt. Da er sich von Papst und Konzil verraten fühlte, nahm er die Wiederherstellung der Glaubenseinheit allein in die Hand. Auf dem „geharnischten" Reichstag zu Augsburg (1547/48) wurde eine vorläufige, auf Kompromiß abgestellte Ordnung festgelegt: das Augsburger Interim vom 30. Juni 1548[8]. Bischof Julius Pflug von Naumburg, der Mainzer Weihbischof Michael Helding von katholischer Seite und der protestantische Theologe Johannes Agricola hatten den Text ausgearbeitet. In Lehre und Kirchenbrauch war dieses Interim im wesentlichen katholisch, doch wurden den Lutheranern Priesterehe und Laienkelch bis zur endgültigen Entscheidung durch ein allgemeines Konzil zugestanden. Die Entwicklung war freilich zu weit fortgeschritten, als daß diesem gutgemeinten Interim ein größerer, anhaltender Erfolg hätte beschieden sein können.

[8] J. Mehlhausen, Das Augsburger Interim von 1548, Neukirchen-Vluyn 1970.

Da hielt es Paul III. für geraten, wieder einzulenken und den völligen Bruch mit dem Kaiser zu vermeiden. Am 3. Februar 1548 verfügte er die Suspension des Konzils in Bologna, so daß die synodale Tätigkeit völlig eingestellt wurde. Schließlich wurde dann vom Papst am 13. September 1549, wenige Wochen vor seinem Tod, die Synode gänzlich aufgelöst. Damit war der so hoffnungsvoll begonnenen Tätigkeit des Konzils ein vorläufiges Ende gesetzt – nicht ohne erhebliche Mitschuld des Farnese-Papstes, dessen nepotistische Territorialpolitik entscheidend zum Zerwürfnis mit dem Kaiser beigetragen hatte.

Namentlich die Aufregungen um das Konzil und der schwere Ärger mit seinen verwöhnten Nepoten setzten der Gesundheit Pauls III. arg zu. Er starb am 10. November 1549. Aus dem Konklave ging nach monatelangem Streit schließlich der bisherige Konzilspräsident Giovanni del Monte als Papst hervor: Julius III. (1550–1555)[9]. Seine Wahl war nicht nach dem Sinn der streng kirchlichen Richtung; denn die Art des neuen Papstes zeigte, daß die schlimmen Traditionen der Renaissancepäpste noch keineswegs ausgestorben waren.

Trotz seiner Schwächen hatte Julius III. ein sehr ausgeprägtes Bewußtsein päpstlich-universaler Verantwortung. Als seine vordringlichsten Aufgaben betrachtete er die Wiederherstellung der Glaubenseinheit, möglichst durch Verhandlungen, und die gemeinsame Abwehr der Türken. Erfüllt vom mittelalterlichen Wunschbild, daß Papst und Kaiser „die beiden Häupter der Christenheit" seien, schloß er sich politisch anfangs völlig Karl V. an. Er schlug darin bewußt einen anderen Weg als sein Vorgänger ein.

Die Wahlkapitulation der Kardinäle hatte den neuen Papst zur raschen Wiedereröffnung des Konzils verpflichtet. Es war Julius III. damit Ernst. Im Einvernehmen mit dem Kaiser berief er das unterbrochene Konzil für den 1. Mai 1551 zur zweiten Tagungsperiode nach Trient[10]. König Heinrich II. von Frankreich verweigerte jede

---

[9] Seppelt-Schwaiger, Geschichte der Päpste V² 58–68. – H. Lutz, Christianitas afflicta. Europa, das Reich und die päpstliche Politik im Niedergang der Hegemonie Kaiser Karls V., 1552–1556, Göttingen 1964. – E. W. Zeeden, Das Zeitalter der Gegenreformation, Freiburg i. Br. 1967. – Ders. [Hrsg.], Gegenreformation (Wege der Forschung, Bd. 311), Darmstadt 1973.

[10] Jedin, Geschichte des Konzils von Trient III 219–399.

Beteiligung seines Landes. Er drohte mit dem Schisma und verband sich bald – zum Entsetzen des Papstes – mit den deutschen Protestanten. Trotzdem schien die Wiedergewinnung der Protestanten durch ein allgemeines Konzil erstmals in greifbare Nähe gerückt. Im Abschied des Augsburger Reichstags vom 13. Februar 1551 hatte der Kaiser die protestantischen Stände erneut aufgefordert, zum Konzil zu erscheinen. Dafür hatte er allen kaiserlichen Schutz zugesichert. Trotz aller französischen Quertreibereien wuchs allmählich die Zahl der Teilnehmer aus Spanien, Italien und auch aus Deutschland. Damit die neue Kirchenversammlung eben ein Unionskonzil für Deutschland werde, lag dem Kaiser alles daran, daß die deutschen Bischöfe und die protestantischen Fürsten möglichst zahlreich in Trient erschienen. Es kamen die vornehmsten Prälaten der Reichskirche, die drei geistlichen Kurfürsten und Erzbischöfe von Mainz, Köln und Trier sowie eine größere Zahl von Bischöfen und Weihbischöfen. Die drei geistlichen Kurfürsten wurden in Trient hoch geehrt, doch fehlte ihnen – wie den meisten Fürstbischöfen des Reiches in dieser Zeit – die tiefere theologische Schulung.

Gestützt auf die Vorarbeiten in Bologna konnte jetzt die katholische Lehre über die Eucharistie, über Buße und Letzte Ölung umschrieben werden. Das Eucharistie-Dekret betonte die schon auf dem Laterankonzil 1215 definierte reale Gegenwart Christi unter den Gestalten von Brot und Wein, und zwar auf Grund der Wesensverwandlung (Transsubstantiation). Die entgegenstehenden Eucharistieauffassungen Luthers und Zwinglis wurden verworfen. Die Artikel über den Laienkelch und die Kinderkommunion wollte man aber bis zum Eintreffen der Protestanten zurückstellen.

In der 13. Sitzung (11. Oktober 1551) wurde das Mandat des Kurfürsten Joachim II. von Brandenburg für seine Gesandten Christoph von der Strassen und Johannes Hoffmann verlesen. Strassen sprach für seinen protestantischen Herrn die Anerkennung des Konzils und seine Unterstützung aus. Er bezeichnete den Kurfürsten als „christlichen Fürsten und gehorsamen Sohn der katholischen Kirche". Bald folgten weitere Gesandte protestantischer Reichsstände: am 22. Oktober 1551 Hans Dietrich von Plieningen und Dr. Hans Heinrich Hecklin als Vertreter des Herzogs von Württemberg; am 11. November Johannes Sleidanus als Vertreter der Reichsstädte Straßburg, Eßlingen, Reutlingen, Ravensburg, Biberach und Lindau;

am 9. Januar 1552 Wolfgang Koller und Leopold Baldhorn als Vertreter des Kurfürsten Moritz von Sachsen. Unter Vermeidung einer persönlichen Fühlungnahme mit den päpstlichen Legaten legten sie den kaiserlichen Gesandten ihre Bedingungen vor: gehobenes freies Geleit für die protestantischen Konzilsgesandten; Einstellung jeder Konzilstätigkeit bis zur Ankunft der Gesandten; neue Beratung der bisherigen Beschlüsse, soweit sie von der Confessio Augustana, dem evangelischen Bekenntnis von 1530, abwichen; Wiederholung der Konzilsbeschlüsse von Konstanz und Basel, daß das allgemeine Konzil über dem Papst stehe; schließlich Entbindung aller Konzilsmitglieder vom Treueid gegenüber dem Papst. Solche Bedingungen waren für ein katholisches Konzil unannehmbar. Trotzdem zeigte sich die kaiserliche Partei zu größtem Entgegenkommen bereit, um Verhandlungen nicht schon in den Präliminarien scheitern zu lassen. Die Spannungen wuchsen. Wie sollte man aus diesem Dilemma einen guten, christlichen Ausweg finden? Der Umschwung kam durch die politischen Vorgänge, durch die Fürstenrebellion in Deutschland.

Das Konzil hatte sich schon im beginnenden Krieg aufgelöst. Bereits im Februar 1552 waren die drei geistlichen Kurfürsten abgereist, da sie um ihre Hochstifte bangen mußten. Der Kaiser legte dem Papst die Suspension des Konzils nahe. Am 24. April 1552 nahm die Mehrheit der Versammlung den Antrag des Kardinals Madruzzo an, der eine zweijährige Unterbrechung vorschlug. Vier Tage später, in der 16. Sitzung, vertagte sich das Konzil auf zwei Jahre. Der kaiserliche Unionsplan war gescheitert. Dies war um so bedauerlicher, als Deutschland nur auf dieser zweiten Tagungsperiode nennenswert vertreten war. Das ganze Konzil drohte hoffnungslos zu versanden. Die Kirchenreform schien erneut in unbestimmte Zukunft vertagt.

Erst unter Pius IV. (1559–1564) wurde das Konzil wiederaufgenommen und zu Ende geführt[11]. Wenn dessen Zusammentritt sich trotzdem verzögerte, so lag die Schuld an der Zwietracht und den einander widerstrebenden Forderungen der katholischen Mächte sowie an den langwierigen Streitigkeiten über die grundsätzliche Frage, ob das Konzil neu berufen oder fortgesetzt werden solle, im

---

[11] Seppelt-Schwaiger, Geschichte der Päpste V² 90–118.

Zusammenhang damit über die Autorität der bisherigen Konzilsbeschlüsse und die Stellung zu den Protestanten. So konnte erst im Januar 1562 das Konzil in Trient wieder feierlich eröffnet werden. 210 Bischöfe waren anwesend. Aber Deutschland war wegen der undurchsichtigen politischen Lage wieder nur sehr schwach vertreten. Die protestantischen Reichsstände lehnten jetzt – nach dem Religionsfrieden von Augsburg (1555) – jede Beteiligung schroff ab. Die wenigen katholischen Bischöfe Deutschlands, die nach Trient kamen, fühlten sich nicht verstanden und von der romanischen Mehrheit majorisiert[12].

Die dogmatischen Dekrete, die in dieser Konzilsperiode beraten und angenommen wurden, betrafen die Sakramentenlehre, soweit diese nicht schon in den früheren Perioden erledigt worden war. In der letzten, 25. Sitzung, am 3. und 4. Dezember 1563, wurden dann noch die dogmatischen Dekrete über das Fegfeuer, die Heiligenverehrung und den Ablaß angenommen. Außerdem hatte das Konzil eine Reihe wichtiger Reformdekrete verabschiedet. In den beiden ersten Tagungsperioden des Konzils hatte man sich nur mit den Lehren Luthers und Zwinglis befaßt. Jetzt mußte auch Calvin in die katholische Abwehr einbezogen werden. Doch wurde in keinem der tridentinischen Dekrete einer der Reformatoren mit Namen genannt.

Diese letzte Sitzungsperiode[13] gestaltete sich als die bewegteste des ganzen Konzils. Die Spannungen spitzten sich namentlich zu um die Frage der Residenzpflicht der Bischöfe in ihren Sprengeln. Letztlich ging der außerordentlich heftige Streit um das rechte Verhältnis der bischöflichen zur päpstlichen Gewalt, um die Frage: Wie kann man die Einsetzung der Bischöfe durch Christus mit der Primatialgewalt des Papstes vereinbaren? In Trient blieb diese Frage unbeantwortet.

Mitten in den Spannungen ließ Kaiser Ferdinand I. sein „Reformationslibell" vorlegen, ein umfangreiches Schriftstück über die „Verbesserung der Kirche an Haupt und Gliedern". Ferdinand

[12] Vgl. Th. Freudenberger, Leonhard Haller von Eichstätt im Streit um die Ehre der Weihbischöfe im Konzil von Trient, in: Ortskirche – Weltkirche. Festgabe für Julius Kardinal Döpfner. Hrsg. v. H. Fleckenstein, G. Gruber, G. Schwaiger, E. Tewes, Würzburg 1973, 141–197.

[13] Jedin, Geschichte des Konzils von Trient IV, 2 Halbbände, 1975.

drängte, wie früher sein Bruder Karl V., auf die vordringliche Behandlung der Kirchenreform. Der Kaiser stellte schwerwiegende Forderungen, zum Beispiel durchgreifende Reform der Römischen Kurie, Gestattung von Laienkelch und Priesterehe. Seine wesentlichen Forderungen wurden von Herzog Albrecht V. von Bayern mit allem Nachdruck unterstützt.

Die französischen Prälaten, geführt vom feingebildeten und redegewaltigen „Kardinal von Lothringen", vertraten schließlich offen die „Konziliare Theorie" von der Oberhoheit des allgemeinen Konzils über den Papst. In diesem Klima steigerten sich die wechselseitigen Beschuldigungen und bösartige Intrigen mit jedem Tag. Die Franzosen spotteten, der Heilige Geist käme offensichtlich im Felleisen des römischen Kuriers nach Trient. Zeitweilig bildete sich eine sehr starke antikuriale Opposition. Neben den französischen Bischöfen traten vor allem die selbstbewußten Spanier für die Wiederherstellung der alten Bischofsrechte ein.

Daß die schwere Krise, noch verschärft durch den Tod der Legaten Gonzaga und Seripando, schließlich überwunden wurde, daß das Konzil doch zu einem friedlichen, glücklichen Ende geführt werden konnte, war namentlich dem Geschick des neuen Kardinallegaten Giovanni Morone zu danken. Trotz zeitweilig recht bedrohlicher episkopalistischer Tendenzen konnte der Papst allezeit Herr über das Konzil bleiben. Verschiedene unerledigte Aufgaben wurden ausdrücklich an den Papst gewiesen, so die Frage des Laienkelches, den Pius IV. 1564 für Teile des Heiligen Römischen Reiches und Ungarns unter gewissen Voraussetzungen gestattete. In der Ausführung des Konzilsauftrages erschienen 1564 die Professio fidei Tridentina, ein auf dem Grund der Konzilsbeschlüsse zusammengestelltes Glaubensbekenntnis, und ein neuer Index der verbotenen Bücher, 1566 der Catechismus Romanus sive Tridentinus, 1568 das überarbeitete Breviarium und 1570 das Missale Romanum, schließlich 1590 und 1592 Vulgata-Ausgaben, offizielle Editionen der lateinischen Bibel.

Als erster Präsident schloß Kardinal Morone kraft päpstlicher Vollmacht am 4. Dezember 1563 die Kirchenversammlung von Trient. Charles de Guise, der „Kardinal von Lothringen", brachte die üblichen Akklamationen auf den Papst, auf den römischen Kaiser und auf alle Förderer und Teilnehmer des Konzils aus. Kardinal Morone stimmte das Te-Deum an, erteilte den feierlichen Segen und schloß mit den Worten: Ite in pace (Gehet hin in Frieden). Tiefe Bewegung lag über den versammelten Vätern. Alle Teilnehmer standen unter dem Eindruck, Zeugen eines großen Ereignisses gewesen zu sein. Papst Pius IV. bestätigte die Beschlüsse des Konzils von Trient durch die Bulle „Benedictus Deus" vom 26. Januar 1564. Ab 1. Mai 1564 sollten die Reformdekrete verbindlich sein. Eine besondere, vom Papst bestellte Kardinalskommission sollte die Durchführung der Konzilsbeschlüsse überwachen. Aus ihr hat sich die wichtige Konzilskongregation entwickelt. In den meisten katholischen Ländern wurden die Konzilsbeschlüsse in verhältnismäßig kurzer Zeit angenommen. Bis zur tatsächlichen Durchführung war freilich ein weiter Weg. In vielen katholischen Ländern, auch im katholischen Deutschland, hat sich die tridentinische Reform erst nach dem Dreißigjährigen Krieg wirklich durchgesetzt.

Das Konzil von Trient ist bis zum II. Vatikanum wohl das wichtigste aller Allgemeinen Konzilien. Seine Bedeutung ist kaum zu überschätzen. Es war die Antwort auf die protestantische Reformation und die, wenn auch nicht vollkommene, so doch eben erreichbare Erfüllung des lang angestauten Verlangens nach einer inneren Erneuerung der Kirche. Es gab der Theologie wie der Glaubensverkündigung klare Normen, es grenzte lehramtlich ab, aber es trennte nicht, wo nicht schon Trennung bestand.

Sein eigentliches Ziel, die Wiederherstellung der Glaubenseinheit, konnte das Konzil nicht erreichen, da es zu spät begann und in diesem Zeitpunkt von den Protestanten scharf abgelehnt wurde. Doch wurden in Trient nicht die Personen der Reformatoren verurteilt, sondern ihre Lehren. Die tiefste Differenz, das bis heute unübersteigbare Hindernis, bestand nicht in der Rechtfertigungslehre, sondern im verschiedenen Kirchenbegriff. Das Konzil restaurierte nicht einfach das Mittelalter, sondern es reformierte Verfassung und Seelsorge nach den Erfordernissen der Zeit. In Trient fand die alte Kirche ihr Selbstvertrauen, ihr Selbstbewußtsein wieder. Aufgrund der tridentinischen Beschlüsse begann die wirkliche Erneuerung der Kirche schließlich überall Tatsache zu werden. Diese Erneuerung beschränkte sich bald nicht mehr auf die Verteidigung des Bestehenden. Sie schritt zielstrebig zur Rückeroberung verlorenen Territoriums voran. Mit den großen Reformpäpsten der folgenden Jahrzehnte – mit Pius V., Gregor XIII. und Sixtus V.[14] – übernahm endlich das Papsttum entschieden und erfolgreich die Führung des Erneuerungswerkes. Für die katholische Kirche wurde das Tridentinum das starke Fundament, auf welchem der neuzeitliche Katholizismus ruht.

Dreihundert Jahre sollten vergehen, bis wieder ein Allgemeines Konzil berufen wurde. Dieses Konzil, das Erste Vatikanische, setzte dort ein, wo man in Trient am heißesten gerungen und schließlich auf eine definitive Lösung verzichtet hatte: beim Verhältnis der päpstlichen Gewalt zu den übrigen Gewalten in Kirche und Welt, bei der Lehre von der Kirche, brachte es hierin freilich nur zu einer Teillösung. Das Zweite Vatikanische Konzil griff deshalb diese Fragen erneut auf.

Das Konzil von Trient wurde das wichtigste Ereignis der Katholischen Reform, der tragende Grund der innerkirchlichen Erneuerung. Unter den höchst aktiven neuen Orden ragten die Jesuiten weit hervor, die vor allem durch die Übernahme des höheren Schulwesens, durch die Erziehung der führenden Schichten, aber auch durch Volks- und Heidenmissionen großen Einfluß gewannen.

Das Ergebnis von Luthers Werk war nicht die angestrebte Wiederherstellung des Christentums in der ursprünglichen Reinheit, sondern die schmerzlichste aller Spaltungen der Christenheit. Deshalb bedeutete die Reformation für die katholische Kirche die größte Katastrophe ihrer Geschichte. Die universale Geltung des Papsttums schwand nun endgültig. Der germanische Norden Europas und weite Teile Mittel- und Osteuropas trennten sich feindselig von der alten Kirche. Von wenigen Einzelfällen abgesehen, bahnten sich erst seit dem Durchbruch der Aufklärung im 18. Jahrhundert wechselseitige Duldung und schließlich bürgerlich-rechtliche Parität der christlichen Bekenntnisse allmählich an. Andererseits verhalf der ungeheuere Schock der Reformation der Katholischen Reform zum Durchbruch und schließlich zum Sieg in der – freilich stark verkleinerten – Kirche. Der Gewinn in den überseeischen Missionsgebieten konnte die Verluste in Europa nicht ausgleichen.

---

[14] Seppelt-Schwaiger, Geschichte der Päpste V² 119–207.

In dem blühenden religiös-kulturellen Reichtum des aufbrechenden katholischen Barockzeitalters schufen sich das wiedergewonnene Selbstbewußtsein und die Vitalität des erneuerten Katholizismus imponierenden Ausdruck. Diesem nachtridentinischen Katholizismus gab freilich das beherrschende Übergewicht der Romanen, nach der Abwendung fast aller germanischen Völker, das Gepräge. Der römische Zentralismus in der Kirche verstärkte sich erheblich. Er wurde im fortschreitenden Ausbau der papalistischen Doktrin, besonders in der mächtigen Jesuitenschule, deutlich gemacht. Die Überbetonung der Zentralgewalt in der Kirche blieb vorläufig noch im allgemeinen auf die Doktrin beschränkt, weil die herkömmlichen Kirchenhoheitsrechte katholischer Fürsten, aber auch das Selbstbewußtsein der meisten Bischöfe die Verwirklichung römisch-kurialer Wunschbilder nicht zuließen.

Seit der radikalen Kritik der Reformatoren war echte, jedem lebendigen Verband notwendige Kritik innerhalb der katholischen Kirche schwierig, ja vielfach unmöglich geworden. Die einschneidende Veränderung des innerkirchlichen Klimas wird am deutlichsten bewußt, wenn man an die Unbefangenheit der Mahnrede zurückdenkt, die im späten Mittelalter Männer und Frauen auch Päpsten gegenüber geübt hatten. Die Betonung biblischen Ernstes sah sich fortan leicht dem Argwohn und der Verketzerung ausgesetzt; man denke nur an die Gnadenstreitigkeiten und die Geschichte des Jansenismus im 17. und 18. Jahrhundert. Der radikale Angriff der Reformatoren auf die hierarchische Struktur der Kirche führte zur Überbetonung des hierarchischen Amtes in der nachtridentinischen Kirche, besonders des höchsten Amtes im römischen Papst. Eine weitere Klerikalisierung der Kirche war die Folge. In den romanischen Ländern hielt sich seit Luthers Zeiten zudem ein tiefgewurzeltes Mißtrauen gegen die Katholiken des germanischen Nordens, das bis in die Gegenwart herein unterschwellig auch das Verhalten der Römischen Kurie mitbestimmt. Die Katholiken des germanischen Nordens haben aber auch weiterhin für die Kirche auf allen Gebieten Hervorragendes geleistet.

Einen nicht unerheblichen Faktor in der Übung des Primates neuen Stils, besonders in der Überwachung der Bischöfe und Teilkirchen, stellten seit dem späten 16. Jahrhundert die Apostolischen Nuntien[15] dar, ausgestattet mit offenen und geheimen Vollmachten, die tief in die Bischofsrechte eingriffen, deshalb vielfach Grund heftiger Streitigkeiten, ferner die nach dem Tridentinum hartnäckig geforderte und schließlich erzwungene Visitatio liminum Apostolorum[16], die von den Bischöfen regelmäßig zu unternehmende Romfahrt, verbunden mit der pflichtmäßigen Berichterstattung über ihr Bistum. Die selbstbewußten Bischöfe der alten deutschen Reichskirche haben sich lange und nicht ohne Erfolg gegen solche Zumutungen gewehrt, Fristen verstreichen lassen und nur in seltensten Fällen sich bereit gefunden, persönlich die Visitatio liminum zu leisten und das Kreuz auf den päpstlichen Purpurschuhen zu küssen.

Noch einmal erhob sich altkirchliches Denken über die höchste Gewalt in der Kirche mächtig im Gallikanismus der Kirche Frankreichs, im Zeitalter Ludwigs XIV. bis an den Rand schismatischer Trennung[17]. Im Kampf mit Papst Innocenz XI. (1676–1689), einer streng religiösen, von tiefem sittlichen Ernst geprägten Persönlichkeit, berief Ludwig XIV. im Jahr 1681 eine Generalversammlung des Klerus (Assemblée générale du clergé de France) zusammen, die sich vornehmlich mit der Regalienfrage befassen sollte. Hier wurde die Ausdehnung des königlichen Regalienrechtes auf alle Bistümer gebilligt. Dann beriet man – auf Verlangen Ludwigs XIV. – über die Grenzen der päpstlichen Rechte und beschloß, die Rechte der Kirche Frankreichs festzulegen. Das Ergebnis der Beratungen waren die berühmten vier Artikel der „Declaratio cleri Gallicani de ecclesiastica potestate" (Erklärung des französischen Klerus über die kirchliche Gewalt) vom 19. März 1682[18]. Der gewandte Hofbischof und gefeierte Kanzelredner Bossuet hatte diese Erklärung verfaßt. Die „vier gallikanischen Artikel" leugnen 1. die Gewalt des Papstes über die Fürsten in weltlichen Dingen und hal-

---

[15] K. Walf, Die Entwicklung des päpstlichen Gesandtschaftswesens in dem Zeitabschnitt zwischen Dekretalenrecht und Wiener Kongreß (1159–1815), München 1966, 110–275.

[16] J. J. Carroll, The bishop's quinquennial report. A historical synopsis and a comment, Washington 1956.

[17] Seppelt-Schwaiger, Geschichte der Päpste V² 346–370. – L. Cognet, in: Handbuch der Kirchengeschichte V (1970) 64–80.

[18] P. Blet, Les assemblées du clergé et Louis XIV, 1972.

ten 2. fest an den Konstanzer Dekreten bezüglich der Superiorität der allgemeinen Konzilien über den Papst; 3. sie lehren, daß die Ausübung der päpstlichen Gewalt durch die kirchlichen Canones geregelt sei und daß die Gewohnheiten der gallikanischen Kirche ungeschmälert zu achten seien; sie erklären schließlich 4. päpstliche Entscheidungen in Glaubenssachen nur für unabänderlich, wenn die Zustimmung der Kirche hinzukomme. Die Artikel wurden vom König sofort bestätigt und als Reichsgesetz vorgeschrieben. Neu waren diese Sätze keineswegs. Sie standen ganz in der Tradition der beanspruchten und geübten „gallikanischen Freiheiten" seit dem hohen Mittelalter, namentlich seit dem Kampf Philipps des Schönen mit Papst Bonifaz VIII. und seit der Pragmatischen Sanktion von Bourges (1438).

Die Kriegserklärung beantwortete Innocenz XI. damit, daß er die Beschlüsse der Klerusversammlung bezüglich der Regalienfrage für nichtig erklärte und allen von Ludwig XIV. für erledigte Bischofsstühle präsentierten Kandidaten die Bestätigung verweigerte, wenn sie an der Versammlung von 1682 teilgenommen hatten[19]. Bis 1688 waren schon fünfunddreißig Bistümer unbesetzt. Der Kampf verschärfte sich erneut, als sich der Papst im Streit um das Erzbistum Köln für Joseph Clemens von Bayern entschied. Der König von Frankreich hatte sich mit allem Nachdruck für die Wahl Wilhelm Egons von Fürstenberg eingesetzt, der Bischof von Straßburg und ihm treu ergeben war. Das drohende offene Schisma verhinderten wohl nur die Intervention des edlen Erzbischofs Fénelon von Cambrai und der Ausbruch der Revolution in England (1688). Je schärfer sich der Konflikt des Königs mit der Kurie zuspitzte, desto eifriger posierte dieser in der Rolle des Hüters und Vorkämpfers des katholischen Glaubens. Nun kam es zu härtesten Zwangsmaßnahmen gegen die Hugenotten Frankreichs. Er hob vor allem, nach verschiedenen anderen Maßnahmen gegen die Hugenotten, im Jahre 1685 das Edikt von Nantes vom Jahre 1598 auf, das den Hugenotten freie Religionsübung zugestanden hatte. Es erschien dem „Sonnenkönig" wie eine Verletzung seiner königlichen Würde, daß in seinem Staat zahlreiche Untertanen seinen Glauben für irrig hielten. Wenn Lud-

---

[19] P. Blet, Innocent XI et l'assemblée du clergé de France de 1682, in: Archivum Historiae Pontificiae 7 (1969) 329–377.

wig aber gemeint hatte, dadurch den Papst versöhnen und zu den gewünschten Zugeständnissen in der Regalienfrage und zur Billigung der „Gallikanischen Artikel“ bewegen zu können, so täuschte er sich. Wohl erkannte Innocenz XI. die vom König der Kirche geleisteten Dienste an; aber mit der durch Waffengewalt erzwungenen Bekehrung der Hugenotten und den Gewalttaten gegen sie war er nicht einverstanden. Hinzu kam die Besorgnis, daß die Verfolgung der Hugenotten die protestantischen Staaten, besonders England, zu Repressalien gegen ihre katholischen Untertanen veranlassen könne. Und ein Nachgeben in der Regalienfrage und in Sachen der gallikanischen Freiheiten kam bei ihm nicht in Frage.

Bald gesellte sich ein neuer Streit hinzu: der Streit um die „Quartierfreiheit“ in Rom. Der Papst wünschte die Aufhebung des Asylrechtes der fremden Gesandten in Rom. Die Gesandten nahmen das Recht in Anspruch, in ihren Gesandtschaftsgebäuden und deren Umkreis den von der römischen Justiz Verfolgten Asyl zu gewähren. Dadurch war jede geordnete Polizeiverwaltung und Rechtspflege gehemmt. Während nun die übrigen Staaten nach dem Wunsch des Papstes auf die „Quartierfreiheit“ verzichteten, weigerten sich Venedig und Frankreich, das zu tun. Innocenz XI. erklärte nun die Quartierfreiheit durch eine Bulle für aufgehoben und drohte, keinen Gesandten mehr anerkennen zu wollen, der nicht zuvor diesem Recht entsagt habe; die künftige Inanspruchnahme des Asylrechtes sollte mit dem Bann beantwortet werden. Trotzdem erschien der neue französische Gesandte, der Marquis de Lavardin, im November 1687 mit einem Gefolge von 800 Bewaffneten in Rom, um mit Nachdruck die Quartierfreiheit in Anspruch zu nehmen. Der Papst weigerte sich, ihn zu empfangen, da er den angedrohten Zensuren verfallen sei. Er belegte die französische Nationalkirche San Luigi dei Francesi mit dem Interdikt. Daraufhin ergriff Ludwig XIV. scharfe Repressalien: der päpstliche Nuntius in Paris wurde wie ein Gefangener behandelt, die zum Kirchenstaat gehörende Grafschaft Avignon wiederum besetzt. Aber diese Gewaltmaßnahmen und die Drohungen mit Appellation an ein allgemeines Konzil konnten Innocenz XI. nicht zur Nachgiebigkeit bewegen. Erst in den folgenden Pontifikaten sind diese Differenzen beigelegt worden. Aber gallikanisches Denken blieb in Frankreich eine starke Macht bis tief ins 19. Jahrhundert herein, auch wenn die stolze Ecclesia Gallicana in der 1789 ausbrechenden Revolution furchtbar verwüstet und zerschlagen wurde. Die „Organischen Artikel" zum Konkordat Napoleons mit Pius VII. (1801) atmeten völlig gallikanischen Geist. Gallikanische Einflüsse sind im Staatskirchenrecht wohl aller Staaten des 18. und 19. Jahrhunderts zu spüren.

Unter gallikanischem Einfluß, aber auch in der historischen Besinnung auf die alten Rechte der Bischöfe und Metropoliten, trat der sogenannte Episkopalismus in der deutschen Reichskirche des 18. Jahrhunderts stärker hervor. Schon im Schatten der aufziehenden Revolution blieb er Episode von geringer Bedeutung. Doch sollte man nie vergessen, daß der Trierer Weihbischof Hontheim-Febronius ein ernster, redlicher Mann war, daß sein großes Anliegen die Einheit aller Christen war, daß er und die meisten „Febronianer" nur die Wiederherstellung der alten Bischofsrechte erstrebten[20]. Die Vorschläge vieler gallikanisch-febronianisch-josephinischer Kanonisten zur Wiederherstellung einer stärker kollegial und synodal ausgerichteten Kirchenverfassung, unbeschadet des päpstlichen Primates, könnten der Diskussion um die rechte Kirchenstruktur in der Gegenwart die nützlichste Hilfe leisten. Im Lichte des Zweiten Vatikanischen Konzils wird man das Anliegen der sogenannten Episkopalisten des 18. Jahrhunderts weitgehend als legitim beurteilen müssen.

Mit der großen Revolution in Frankreich versank eine Welt. In der Kirche wollte man dies noch weniger als im staatlich-politischen Bereich zur Kenntnis nehmen. Aber alle Restaurationen des 19. Jahrhunderts trugen bereits den Todeskeim in sich. Besonders die Sorge um den nicht mehr zu rettenden Kirchenstaat veranlaßte die Päpste des 19. Jahrhunderts zur feindseligen Abwehr und Ver-

---

[20] QQ. u. Lit. bei H. Raab, in: Handbuch der Kirchengeschichte V (1970) 477–507. – Guter Überblick über die Entwicklung: F. Vigener, Gallikanismus und episkopalistische Strömungen im deutschen Katholizismus zwischen Tridentinum und Vaticanum, in: Historische Zeitschrift 111 (1913) 495–581; ders., Bischofsamt und Papstgewalt. Zur Diskussion um Universalepiskopat und Unfehlbarkeit des Papstes im deutschen Katholizismus zwischen Tridentinum und Vatikanum, Göttingen 1964. – Das aufsehenerregende Werk des Trierer Weihbischofs Johann Nikolaus von Hontheim (Deckname Justinus Febronius) trug den Titel: De statu Ecclesiae et legitima potestate Romani Pontificis liber singularis ad reuniendos dissidentes in religione christianos compositus. Bullioni 1765. – F. X. Bantle, Unfehlbarkeit der Kirche in Aufklärung und Romantik, Freiburg i. Br. 1976.

urteilung all dessen, was den meisten Zeitgenossen als erstrebenswerter Fortschritt erschien. So wuchs die Ghettogesinnung in der Kirche, besonders bei Papsttum und Kurie, und so viele redliche Theologen dieser Epoche führten einen schier hoffnungslosen Kampf um eine zeitgemäße Erneuerung der Kirche, von Sailer angefangen über die großen katholischen Tübinger, über Hermes, Günther und Döllinger bis zu Herman Schell und seinen zahlreichen Schicksalsgenossen um die letzte Jahrhundertwende[21]. Besonders in den Reformvorschlägen Johann Baptist Hirschers aus den vierziger Jahren des vorigen Jahrhunderts spielt die zeitgerechte Wiederbelebung der Synoden eine beträchtliche Rolle[22]. Nur aus der Situation des 19. Jahrhunderts sind Vorbereitung, Ablauf und Lehraussagen des Ersten Vatikanischen Konzils (1869/70) zu verstehen[23]. Seine wesentlichen Aussagen über den päpstlichen Primat wurden bereits eingangs genannt.

Mit der Dogmatisierung des Universalepiskopates und der lehramtlichen Unfehlbarkeit des Papstes war eine lange Entwicklung zum vorläufigen Abschluß gekommen. Mitten im Zusammenbruch der weltlichen Macht des Papsttums war die Geschlossenheit der Kirche in einem Mittelpunkt eindrucksvoll dokumentiert worden. Das Erste Vatikanische Konzil hatte dort eingesetzt, wo man über dreihundert Jahre zuvor, auf der Kirchenversammlung von Trient, am leidenschaftlichsten gerungen und schließlich auf eine endgültige Lösung verzichtet hatte: beim Verhältnis der päpstlichen Gewalt zu den übrigen Gewalten in der Kirche und in der Welt, bei der Lehre

---

[21] H. Fries – G. Schwaiger [Hrsg.], Katholische Theologen Deutschlands im 19. Jahrhundert, 3 Bde., München 1975.

[22] J. B. Hirscher, Die socialen Zustände der Gegenwart und die Kirche, Tübingen 1849; ders., Die kirchlichen Zustände der Gegenwart, Tübingen 1849; ders., Antwort an die Gegner meiner Schrift: „Die kirchlichen Zustände der Gegenwart“, Tübingen 1850. – Dazu E. Keller, Gedanken Johann Baptist Hirschers zur Reform der Kirche, in: G. Schwaiger [Hrsg.], Kirche und Theologie im 19. Jahrhundert, Göttingen 1975, 91–101; J. Rief, Kirche und Gesellschaft. Hirschers kritische Analysen und Reformvorschläge der vierziger Jahre, ebda. 103–123.

[23] H. J. Pottmeyer, Unfehlbarkeit und Souveränität. Die päpstliche Unfehlbarkeit im System der ultramontanen Ekklesiologie des 19. Jahrhunderts, Mainz 1975. – Ders., „Auctoritas suprema ideoque infallibilis“. Das Mißverständnis der päpstlichen Unfehlbarkeit als Souveränität und seine historischen Bedingungen, in: Konzil und Papst 503–520. – K. Schatz, Kirchenbild und päpstliche Unfehlbarkeit bei den deutschsprachigen Minoritätsbischöfen auf dem I. Vatikanum, Rom 1975.

von der Kirche. Man kam 1870 freilich nur zu einer Teillösung im Sinn des Papalismus. Die Interpretation der zum Teil recht schwierigen Texte und die weitere Klärung des Verhältnisses von Papst und Bischöfen blieben als theologische Aufgaben. Sie wurden neunzig Jahre später auf dem Zweiten Vatikanischen Konzil (1962 bis 1965)[24] wieder aufgegriffen, um durch schärfere Erfassung des katholischen Bischofsamtes das arg verschobene Gleichgewicht wiederherzustellen.

In den Debatten und Abstimmungen des Zweiten Vaticanums zeigte sich ein neuerwachtes Selbstbewußtsein der Bischöfe. Für viele Beobachter kam dies — auf dem Hintergrund der Aussagen des Ersten Vaticanums und der starken Degradierung eines Ökumenischen Konzils durch den Codex Iuris Canonici — durchaus überraschend. Es erwies sich, daß ein Allgemeines Konzil auch in den Bedingtheiten des neuen Kirchenrechts noch erstaunliche dynamische Kräfte entfalten konnte. Es zeigte sich wachsende Aufgeschlossenheit des größten Teiles der Konzilsväter. Zum erstenmal in der Neuzeit war hier, anders als 1869/70, wirklich die ganze katholische Welt auf einer allgemeinen Synode vertreten. Der geistige Sturm war so stark, daß zeitweise manchen Kreisen der Atem stockte. Es offenbarte sich, für die meisten Teilnehmer selbst überraschend, eine mutige Aufgeschlossenheit, ein erregendes, überzeugendes Wahrheitsstreben, ein neues, liebendes Verständnis für die nichtkatholische Christenheit und ihre ernsten Vorbehalte gegenüber der römischen Kirche, ein lebendiger Sinn für den Nächsten in allen Völkern,

---

[24] Das Zweite Vatikanische Konzil. Konstitutionen, Dekrete und Erklärungen, hrsg. v. H. Vorgrimler, 3 Bde., Freiburg i. Br. 1966—1968. — COD 817—1135. — H. Helbling, Das Zweite Vatikanische Konzil, Basel 1966. — G. Schwaiger, Geschichte der Päpste im 20. Jahrhundert, München 1968 (mit QQ. u. Lit.). — Zur neueren Diskussion über Papst, Konzil, Unfehlbarkeit: H. Küng, Strukturen der Kirche, Freiburg-Basel-Wien 1962; ders., Unfehlbar? Eine Anfrage, Zürich-Einsiedeln-Köln 1970, [3]1971; ders. [Hrsg.], Fehlbar? Eine Bilanz, Zürich-Einsiedeln-Köln 1973. — K. Rahner [Hrsg.], Zum Problem der Unfehlbarkeit. Antworten auf die Anfrage von Hans Küng, Freiburg-Basel-Wien 1971. — H. Bacht, Primat und Episkopat im Spannungsfeld der beiden Vatikanischen Konzile, in: Wahrheit und Verkündigung. Festschrift Michael Schmaus, hrsg. v. L. Scheffczyk, W. Dettloff, R. Heinzmann, II, München-Paderborn-Wien 1967, 1447—1466. — G. Denzler [Hrsg.], Das Papsttum in der Diskussion, Regensburg 1974. — H. Urs von Balthasar, Der antirömische Affekt, Freiburg i. Br. 1974. — M. Seybold [Hrsg.], Zehn Jahre Vaticanum II, Regensburg 1976.

Rassen und Religionen, ein neues Gefühl christlicher Verantwortung für die gesamte Menschheit.

In den Gesprächen der christlichen Kirchen seit dem Zweiten Vatikanischen Konzil ist die Frage nach der rechten Struktur der Kirche Christi in den Mittelpunkt gerückt, damit unlöslich verbunden die Frage nach dem Amt und den Ämtern in der Kirche. Damit wurde auch, wie in so vielen kontroverstheologischen Erörterungen vergangener Zeiten, die Frage nach dem Petrusamt in der Kirche, nach dem Papsttum, zu einer ökumenischen Frage ersten Ranges[25]. Die Aufhebung der wechselseitigen Bannflüche von 1054 zwischen Rom und Konstantinopel, feierlich verkündet am 7. Dezember 1965 durch Papst Paul VI. und den Ökumenischen Patriarchen Athenagoras, leitete eine neue Phase in den Beziehungen der römisch-katholischen Kirche zu den orthodoxen orientalischen Kirchen ein[26]. Patriarch Athenagoras von Konstantinopel hielt den Sinn dieses Ereignisses in diesen Worten fest: „Der 7. Dezember bedeutet ein Licht, das die Finsternis zerstreut, die eine nun vergangene Periode der Kirchengeschichte verdunkelt hat; dieses Licht erleuchtet den gegenwärtigen und künftigen Weg der Kirche"[27].

---

[25] K. Rahner, Strukturwandel der Kirche als Aufgabe und Chance, Freiburg i. Br. 1972. – G. Gassmann, Die Entwicklung der ökumenischen Diskussion über das Amt, in: Ökumenische Rundschau 22 (1973) 454–468. – Um Amt und Herrenmahl. Dokumente zum evangelisch-römisch-katholischen Gespräch. Hrsg. v. G. Gassmann, M. Lienhard, H. Meyer u. H. V. Herntrich, Frankfurt a. M. 1974. – H. Schütte, Amt, Ordination und Sukzession im Verständnis evangelischer und katholischer Exegeten und Dogmatiker sowie in Dokumenten ökumenischer Gespräche, Düsseldorf 1974. – B. Baumer, Der Petrusdienst im ökumenischen Gespräch, in: Internationale kirchliche Zeitschrift 44 (1974) 145–188. – H. Stirnimann – L. Vischer, Papsttum und Petrusdienst (Ökumenische Perspektiven 7), Frankfurt a. M. 1975. – H. Fries, Das Papsttum als ökumenische Frage, in: G. Schwaiger [Hrsg.], Konzil und Papst, München-Paderborn-Wien 1975, 585 bis 610 (Lit.). – Über die hier ebenfalls einschlägige ökumenische Arbeit auf Grund der Initiative der Stiftung Pro Oriente (Wien) zwischen katholischen und orthodoxen sowie altorientalischen Theologen unterrichtet der im Tyrolia-Verlag erschienene Sammelband (mit Referaten und Berichten): Pro Oriente. Konziliarität und Kollegialität als Strukturprinzipien der Kirche. Das Petrusamt in ökumenischer Sicht. Christus und seine Kirche – christologische und ekklesiologische Aspekte, Innsbruck-Wien-München 1975. – H.-J. Mund [Hrsg.], Das Petrusamt in der gegenwärtigen theologischen Diskussion, Paderborn 1976.

[26] J. Ratzinger, Das Ende der Bannflüche von 1054. Folgen für Rom und die Ostkirchen, in: Internationale Katholische Zeitschrift 4 (1974) 289–303.

[27] H. Fries, Sind die Christen einander näher gekommen? in: K. Rahner – O. Cullmann – H. Fries, Sind die Erwartungen erfüllt? Überlegungen nach dem

Bei nüchterner theologischer Betrachtung gibt es außer der Stellung des Papstes in der Kirche, wie sie 1870 umschrieben und im Codex Iuris Canonici in breitestem Umfang angewandt wurde, keine wirklich gravierende Lehre, welche die römisch-katholische Kirche von der Orthodoxie des Ostens trennt. Dabei ist noch einmal daran zu erinnern, daß die orthodoxen Kirchen bis heute das Glaubens- und Kirchenverständnis der alten ungeteilten Christenheit festgehalten haben. Die stärkere Entfaltung in der theologischen Ausformung der Lehre, im Kirchenrecht und Kirchenbrauch vollzog sich in der lateinischen Kirche des Westens, besonders deutlich sichtbar im Verhältnis des Ökumenischen Konzils zur päpstlichen Gewalt. Auf dem Ersten Vaticanum wurde genau das dogmatisch festgelegt, was von den orthodoxen Kirchen als Hindernis der Einheit und als eigentlicher Kern des Schismas empfunden wurde: „der universale, über alle Kirchen sich erstreckende Jurisdiktionsprimat des römischen Bischofs, der sich ausdrücklich mit einem von den Orthodoxen nicht bestrittenen ‚primatus honoris et inspectionis‘ nicht zufriedengab, sondern einen ausdrücklichen Rechtsprimat definierte als ‚Höchstgewalt‘ und als ‚Vollgewalt‘. Die Sache des Primats – hinsichtlich der Wirkung auf die Orthodoxen – wurde noch einmal betont durch die aus dem Primat abgeleitete Definition von der Unfehlbarkeit der ‚ex cathedra‘-Entscheidungen des Papstes“[28].

Papst Paul VI. hat wiederholt seinem Schmerz darüber Ausdruck verliehen, daß die Stellung des Papsttums als größtes Problem in der ersehnten Einheit aller Christen angesehen werde[29]. Dies gilt zweifellos ebenso für das ökumenische Gespräch mit den orthodoxen wie mit den reformatorischen Kirchen. Dabei ist heute jedem Einsichtigen klar, daß eine mögliche Einheit der Kirche Christi nur Einheit in Vielgestaltigkeit und in gegenseitiger Anerkennung bedeuten kann, selbstredend unter Bewahrung der unverzichtbaren Glaubenslehren. Die Besinnung auf die Heilige Schrift und die Betrachtung des Weges, den Kirche und Kirchen in fast zweitausend

---

Konzil, München 1966, 67–132, hier 69 f. – Ders., Das Papsttum als ökumenische Frage (s. o. Anm. 25), 601.

[28] Fries, Das Papsttum als ökumenische Frage, 592.

[29] Zum Beispiel sagte Paul VI. bei seinem Besuch im Sekretariat für die Einheit der Christen, am 28. April 1967: Er wisse wohl, daß „der Papst ... zweifellos das größte Hindernis auf dem Weg des Ökumenismus ist“. Acta Apostolicae Sedis 59 (1967) 493–498, hier 498.

Jahren gegangen sind, können das wechselseitige Verständnis für die Eigenart der anderen Kirchen erleichtern und den Weg zueinander erleuchten. Gerade an das Papsttum knüpfen sich hier große Hoffnungen[30]. In der Not der Abendländischen Kirchenspaltung des späten Mittelalters führte von den verschiedenen vorgeschlagenen Wegen schließlich allein die via synodi, „der königliche Weg der alten Kirche“, zum Ziel. Dieser Weg, mit Umsicht vorbereitet und im Vertrauen auf den Beistand des Heiligen Geistes beschritten, kann auch in unserer Zeit zum Ziel führen. Der Bischof von Rom – „servus servorum Dei“ – sollte nicht müde werden, diesen beschwerlichen Weg zu gehen.

---

[30] Als beste neueste Zusammenfassung erscheinen mir die Beiträge in: Concilium 11 (1975) 513–587. Dieses ganze Heft ist dem Verständnis und der Aufgabe des Papsttums in unserer Zeit gewidmet. – Petrus und Papst. Evangelium, Einheit der Kirche, Papstdienst. Hrsg. v. A. Brandenburg u. H. J. Urban, Münster 1977.

PERSONENREGISTER

B. = Bischof, EB. = Erzbischof, K. = Kaiser, Kard. = Kardinal, Kg. = König, Metrop. = Metropolit, P. = Papst, Patr. = Patriarch